SO-AGT-003

Les folles Aventures
D'EULALIE DE POTIMARON
I. À NOUS DEUX, VERSAILLES !

Flammarion

Conception graphique : Studio Flammarion Jeunesse et Marie Pécastaing.
© Flammarion pour le texte et l'illustration, 2010.
87, quai Panhard et Levassor - 75647 Paris Cedex 13
ISBN : 978-2-0812-4329-3 / N° d'édition : L.01EJEN000458.C003
Loi n° 49-956 du 16 juillet 1949 sur les publications destinées à la jeunesse.

Anne-Sophie
SILVESTRE

Amélie
DUFOUR

Les folles Aventures D'EULALIE DE POTIMARON
I. À NOUS DEUX, VERSAILLES !

Flammarion

Nous sommes en 1677.

1

Adieu,

CHER POTIMARON !…

– Mademoiselle Eulalie, votre père vous attend dans une heure au salon.

« Quelle drôle d'idée de me fixer ainsi un rendez-vous ! pensai-je aussitôt. Pourquoi ne me parle-t-il pas tout simplement à table ou au jardin ? »

– Et ce n'est pas tout…

– Quoi donc ?

– Il veut que vous portiez une robe.

– Nous avons des invités ?

– Il ne me semble pas.

Je ne comprenais pas. Pourquoi devais-je porter une robe, pour nous seuls, un jour de semaine ?

Morbleu, que nous arrivait-il ce jour-là ?

Je m'appelle Gabrielle-Évangéline-Eulalie de Potimaron. Mais, en général, Eulalie tout court suffit.

En effet, une heure plus tard, mon père, le baron de Potimaron, m'attendait au salon.

Il avait revêtu une solennité qui me parut inhabituelle, et, moi, la robe de satin jaune mirabelle que je porte quand nous avons de la compagnie.

– Mademoiselle, dit mon père, j'ai à vous entretenir de choses importantes.

« Mademoiselle ? »

Il avait bien dit : « Mademoiselle ? »

C'était la première fois qu'il m'appelait ainsi.

– Mademoiselle, reprit-il, vous savez que je n'aime guère les règles et les principes. Je vous ai élevée jusqu'à ce jour sans jamais me demander si ce que je vous apprenais convenait plutôt à un garçon ou plutôt à une fille.

« Certes, pensai-je. Et c'est très bien comme cela… Mais, pourquoi : *jusqu'à ce jour* ? Parce que les choses vont changer ? Ah, mais, c'est que je ne suis pas d'accord du tout, du tout, du tout, moi ! »

Mon père continua :

– J'eus la joie de vous voir grandir et courir en liberté. J'eus le bonheur de vous apprendre moi-même à lire, et aussi à tirer l'épée et monter à cheval puisque vos goûts semblaient aller en ce sens… Nos voisins m'ont parfois reproché de faire de vous un garçon manqué – comme si cette expression sinistre avait un sens ! Je reconnais pourtant que vous laisser vous développer hors de tout carcan pour notre bonheur paisible à tous deux pouvait paraître égoïste de ma part. Mais il ne m'a jamais semblé que cela vous rendait malheureuse.

– Pas du tout, Père ! Sur ce point, je puis vous rassurer entièrement.

– Je le sais… Mais il faut en prendre votre parti : ce temps est terminé.

J'ouvris des yeux grands comme des étangs :

– Mais, pourquoi cela ?

– Voyez-vous, ma fille, j'éprouve du plaisir, et j'ose même dire de la fierté, à vous voir franchir des haies à cheval et tirer l'épée… Mais vous devenez une jeune fille, et nous vivons malheureusement dans un monde où cette éducation trop simple, j'ose même dire trop sincère et naturelle, pourrait nuire à votre avenir.

D'étonnement, je me laissai tomber assise sur une chaise. Il poursuivit :

– Si vous voulez un exemple, il n'est pas convenable que la fille unique du baron de Potimaron, qui sera un jour comtesse ou marquise, jure des « Ventre-Saint-Gris ! » et des « Mort de tous les diables ! » comme un spadassin… Ne protestez pas, je vous ai encore entendue, il n'y a pas cinq minutes, derrière cette porte.

Oui, bon, d'accord : j'avais marché sur ma robe.

– Si ce n'est que cela, Père, je peux très bien…

– Modérer votre langage ? En effet, vous me ferez plaisir d'y prendre garde. Mais ce n'est pas tout.

– Ce n'est pas tout ?

– Vous allez préparer vos malles car vous partez pour Versailles.

Je répétai, comme si je comprenais mal ce mot :

– Versailles ?

– Oui : Versailles. Ma sœur Annie a eu la grande bonté de vous recommander. Grâce à elle, vous allez être reçue comme fille d'honneur de Mademoiselle d'Orléans.

C'était donc à ma tante Annie que je devais cette trahison... Morbleu, la fourbe ! La traîtresse, la perfide, la démoniaque ! Et moi qui l'avais toujours considérée comme ma meilleure amie... Des larmes me vinrent aux yeux. Je me mordis fort la langue. Je ne connais pas de plus sûr remède contre les larmes.

Mon père expliquait :

– Vous apprendrez à vous conduire en demoiselle accomplie, fine et mesurée, et à vous exprimer avec grâce en société.

« Mordiable ! »

– Ce que votre mère vous aurait enseigné si elle avait vécu, mais que, je dois le reconnaître, je n'ai pas su vous apprendre, moi...

Je levai vers lui un regard éteint :

– Père ?

Par contagion, sans doute, la voix de mon père se voila de mélancolie.

– Oui, ma fille ?

– C'est donc une chose décidée ?

(Le baron de Potimaron étouffa un soupir.)

– Oui, ma fille.

– Comme vous allez me manquer, Père…

Le baron de Potimaron ouvrit les bras et me serra contre lui, tout en froissant d'une main les basques de son habit pour y chercher son mouchoir.

– Toi aussi, Eulalie…

Ce fut ma tante Annie qui me conduisit à Versailles. En voiture. Et en robe. Je commençais bon gré mal gré – une petite cuiller de bon gré contre une centaine de louches de mauvais vouloir – mon apprentissage de « demoiselle accomplie ».

– Finis donc avec cette tête ! soupira ma tante alors que nous roulions depuis plus de deux heures. On dirait que tu me détestes.

Je n'avais pas ouvert la bouche depuis le départ, et j'avais bien l'intention de continuer longtemps comme ça. Les yeux obstinément baissés, je caressais Ti-Tancrède, mon lapin apprivoisé. Ti-Tancrède est blanc avec des tachetures gris foncé, et une tache couleur café clair sur l'œil droit. Il était couché sur mes genoux et semblait, lui, absolument ravi de ce voyage qui me donnait tant de loisir pour le caresser. Personne n'aime autant les caresses que ce lapin.

Mon air fermé, ma posture disaient : « Je ne communique qu'avec les gens qui m'aiment », du moins je faisais tout pour cela.

— Tu vas te taire jusqu'à Paris ? insista ma tante Annie.

« Oui ! » pensai-je.

— Tu crois que cela arrangera les choses ?

Je n'en savais rien mais soudain mon chagrin brisa les barrages que je tentais de lui imposer :

— Pourquoi as-tu mis dans la tête de mon père cette idée absurde de m'envoyer à Versailles ?

— Ingrate ! C'est la meilleure idée de ma vie... Versailles est le plus bel endroit du monde. Une fille intelligente m'embrasserait. Et éventuellement me remercierait, mais n'en demandons pas trop... Tu crois que cela te rend service de te complaire à être la plus malheureuse personne de la terre, et de ne penser qu'à tes chevaux et tes épées ?

— Et à mon père aussi. Il va être triste, sans moi, je le sais bien... Et aussi à ma maison de Potimaron que je ne reverrai plus.

— Quelle idée ! Tu ne seras pas prisonnière. Tu retourneras chez toi en vacances... Les gens de la Cour passent l'été chez eux. Et crois-moi, ton père n'est pas triste. Tu vas lui manquer, c'est certain, mais il n'est pas égoïste. C'est s'il te voyait négliger ton éducation par paresse qu'il serait profondément malheureux... Il faut grandir, Eulalie ! Tu as douze ans, tu ne peux rester toujours une sauvageonne... Les expériences nouvelles développent en nous des possibilités qui sans cela resteraient en sommeil. Elles ouvrent l'intelligence.

– Cela m'était égal qu'elle reste fermée… répliquai-je. Qui est exactement cette demoiselle d'Orléans chez qui tu m'envoies ?

– *Mademoiselle*, la nièce du Roi, la première princesse du royaume. Je ne me suis pas moquée de toi.

– Quel âge a-t-elle ?

– Quinze ans.

– Une vieille, en plus… Elle sait tirer l'épée ?

– Pas que je sache ! En général, les dames distinguées ne tirent pas l'épée en public.

– Comment font-elles quand on les insulte ?

– Elles louent les services d'un tueur efficace et discret.

– Quoi ? C'est vrai ?

– Mais non ! Il y a aussi des gens normaux et civilisés dans la vie. Particulièrement à Versailles, justement.

– Que ferai-je auprès de cette nièce du Roi ?

– L'accompagner. Lui rendre service. Et surtout écouter, regarder et apprendre à te comporter dans une société qui est la plus moderne et la plus brillante du monde. Toute ta vie, tu auras pour toi d'avoir reçu ton éducation à Versailles. C'est un fabuleux cadeau. Où que tu ailles ensuite, cela te vaudra l'intérêt et la considération des gens, des portes ouvertes et des visages souriants…

Ah, oui… Même en m'y efforçant, je ne voyais rien dans ce programme qui puisse inspirer de l'enthousiasme. Sans le dire, je me réfugiai dans une pensée réconfortante.

Dans ma malle, j'avais pris soin de placer mes bottes, mes vêtements de garçon et mes deux épées. Oui, j'en avais deux. Une pour l'entraînement, et l'autre pour le combat. Mais je dois reconnaître que celle pour le combat n'avait encore jamais servi.

Un escrimeur travaille sa technique tous les jours. On dit que Versailles est très grand. Je trouverais sûrement un endroit à l'abri des regards pour m'exercer.

2

Un très grand
CHANTIER

À notre arrivée à Versailles, il faisait nuit. On m'avait promis toutes les splendeurs de l'Orient : je ne vis qu'une grande cour entourée d'un vaste bâtiment fort sombre. Mais, surtout, j'aperçus des tas de sable, des pierres de taille, des poutres neuves. Le sol était sali de mortier. L'endroit sentait le plâtre frais. Pour résumer, vu d'un peu près, Versailles était un très grand chantier.

Mais cela ne me décevait pas. Au contraire, même. J'ai toujours aimé l'atmosphère des travaux et les plaisanteries des maçons. Je compris que je me sentirais d'avantage chez moi.

— Nous allons ce soir chez *Mademoiselle* ? demandai-je.

– Il est trop tard, répondit ma tante. Une première présentation, c'est solennel. Il faudra faire une toilette soignée.

– Tout ce que je craignais...

– Je crains qu'ici tu n'aies un peu à prendre cette habitude.

– C'est bien pour ça que je ne voulais pas venir.

Elle ne me répondit pas. C'était maintenant sa méthode chaque fois (c'est-à-dire, souvent) que je rappelais que j'étais ici contre ma volonté.

Ma tante Annie circulait comme chez elle au milieu des tas de pavés et des brouettes de sable. Elle nous fit traverser la cour et passer sous une arche couverte. Je tenais Ti-Tancrède contre mon épaule. Ce nouveau lieu l'inquiétait. Je le sentais se serrer contre moi et son cœur battre plus vite qu'à l'ordinaire.

– Où allons-nous ? demandai-je encore.

– Chez une de mes amies où nous passerons la nuit.

– Comment s'appelle-t-elle ?

– Mme de Montespan.

Ce nom me disait quelque chose. Même dans ma campagne de Potimaron – où pourtant Dieu sait si Versailles était le dernier de mes soucis – le nom de cette dame était arrivé jusqu'à moi.

– C'est une personne importante ?

– Ah ! ma petite... Hormis le Roi, il n'y a pas de personne plus important ici.

– Même pas la Reine ?

– La Reine n'est pas très importante.

Tiens ? C'était une notion surprenante. J'avais toujours pensé qu'un roi et une reine formaient une paire aussi imposante, assortie et indissociable qu'un roi et une reine de pique ou de cœur dans un jeu de cartes.

– Comment es-tu devenue l'amie d'une personne aussi considérable ?

Je me découvrais soudain pour ma tante un respect accru.

– Quand nous avions ton âge, nous étions ensemble au couvent à Saintes. Elle avait de ces inventions ! Elle était la fille la plus drôle du monde. En pleine classe ou pendant la prière, elle pouvait me déclencher des fous rires avec une grimace rapide comme un battement de cil.

– Ça ne devait pas être bien difficile : tu ris pour des riens. Moi aussi, je peux te faire rire quand je le veux.

– Disons qu'elle et toi avez cela en commun.

Après ce parcours dans les couloirs sombres et encombrés d'échafaudages, l'appartement de Mme de Montespan me plut infiniment. Deux petits serviteurs maures à la peau joliment cuivrée et au charmant sourire, portant des turbans de satin rose, nous firent entrer.

Les pièces étaient magnifiquement éclairées par une profusion de bougies, de girandoles et de flambeaux. Dans le salon, une fontaine glougloutait au milieu d'une rocaille couverte de fleurs et de plantes vertes. Il y avait aussi des perruches de toutes les couleurs dans des volières en fil

doré, un immense perroquet blanc sur son perchoir, cinq petits ouistitis qui se balançaient et cabriolaient dans une vaste cage elle aussi toute dorée… Eh bien : il était là, mon palais des *Mille et Une Nuits* ! Il suffisait de le chercher un peu, ce qui est normal : un palais enchanté qui se respecte se cache des profanes… Et au milieu de toutes ces merveilles, la sultane de cet endroit venait à notre rencontre.

— Annie ! Te revoilà. As-tu fait bon voyage ?

Mme de Montespan était une grande femme blonde. Je n'avais jamais vu un visage aussi harmonieux. Je savais que cela ne se faisait pas, mais je ne pus m'empêcher de la contempler en face, comme un tableau. Malgré une ample robe de chambre bleu nuit brodée d'or, je remarquai qu'elle était enceinte. Mais cela ne nuisait pas à la grâce de sa démarche. Il me sembla même que sa beauté en était augmentée.

— Un bon voyage, Françoise, merci, répondit ma tante. Mais, toi-même, tu as une mine magnifique… Comment va ce bébé ?

— Le petit drôle va fort bien. Il me donne des coups de pied et bouge en tous sens. Il commence à manquer de place, j'ai hâte qu'il sorte… Mais ne m'appelle plus Françoise, cela était bon autrefois. Désormais, je préfère Athénaïs, c'est moins commun.

Elle se pencha à l'oreille de ma tante, mais j'entendis tout de même :

— Et puis, la Maintenon s'appelle Françoise ! Ce qui fait je ne peux plus souffrir ce nom.

J'appris plus tard que cette Maintenon était la principale rivale de Mme de Montespan à la Cour. Cette dernière s'intéressait maintenant à moi :

– Qui m'amènes-tu là ?

– Je te présente ma nièce Eulalie, une sorte de chat sauvage qui depuis quinze jours est uniquement occupée à me maudire.

– Que lui as-tu fait ?

– Je l'ai amenée ici.

– Je ne peux lui donner tort, c'est une maison de fous ici.

– C'est cela, aide-moi. Merci pour ton soutien.

Mme de Montespan prit son temps pour me considérer. Je lui fus reconnaissante de cette attention. Elle me regardait avec sérieux et intérêt, pas de la façon désinvolte qu'on accorde souvent aux enfants.

– Que viens-tu faire à Versailles ? me demanda-t-elle.

– Fille d'honneur de Mademoiselle d'Orléans, répondis-je.

– Je rappelle en passant, intervint ma tante Annie, que c'est toi qui as obtenu cette place pour elle.

– Tiens, oui, c'est vrai... J'avais oublié... C'est une place magnifique, auprès de la première princesse du royaume... Toutes les filles danseraient de joie de s'y trouver. Moi-même, lorsque j'avais ton âge... Et, à toi, cela ne plaît pas ?

– Non, dis-je.

Elle médita un instant, puis se préoccupa soudain de Ti-Tancrède :

– C'est un bel animal. Puis-je le prendre un instant ?

Le moment me semblait mal choisi. Ti-Tancrède était troublé par tous ces changements, et, quand il s'agite, il donne des coups de patte plus vigoureux qu'on ne pourrait attendre. Je jetai un regard inquiet sur le ventre rond de cette dame. Je la mis en garde :

– Il se débat parfois avec les personnes qu'il ne connaît pas.

Elle sourit.

– Je vais juste essayer, dit-elle.

Elle souleva mon lapin d'un geste doux et précis, l'appuya contre son bras et, de sa main restée libre, le caressa. C'était une experte. Elle savait glisser son index entre la base des oreilles de Ti-Tancrède, grattouiller avec intelligence le petit espace sensible situé à la base du crâne, puis laisser sa main descendre lentement le long du dos et de l'échine en épousant toutes les courbures. Ti-Tancrède, calme et digne, appréciait en connaisseur. Du reste, quand on voyait cet appartement empli d'animaux, il paraissait évident que cette dame aimait vivre avec eux.

L'horloge sonna neuf heures. L'horloge, c'était une espèce d'énorme jouet, gros comme un buffet de campagne. Le cadran était entouré d'un assemblage de petites maisons, de petits palais et de paysages en miniature. Quand l'heure sonna, tout s'anima. Les portes s'ouvrirent. Des automates se mirent en mouvement. De petits dromadaires défilèrent. Des chevaux. Des bergers et leurs moutons. Une pie et un paon sortirent de leur maison.

Des boîtes à musique se déclenchèrent. Un canari mécanique chanta... Les deux enfants à turban rose qui attendaient le spectacle, plantés devant l'horloge depuis plusieurs minutes, sautèrent de joie en battant des mains. Le charivari devint général. Les singes se déchaînèrent dans leur cage. Les perruches battirent des ailes et jabotèrent toutes en même temps. Même le grand perroquet blanc s'agita et s'ébouriffa sur son perchoir.

Je souris largement. C'était le même chambardement chaque fois que l'horloge sonnait, ici ? Voilà une façon d'annoncer l'heure qui me plaisait.

Mme de Montespan, nullement troublée par le raffut, caressait toujours Ti-Tancrède d'un air pensif.

– Écoute, me dit-elle, je crois que tu devrais rester ici un an. Marie-Louise d'Orléans n'est pas une personne difficile à vivre. Dans un an, tu en sauras assez sur la Cour pour savoir si tu veux rester ou partir.

La proposition me parut saine et sensée. Je regardai ma tante.

– Qu'en penses-tu, ma tante ?

– Je crois que l'idée d'Athénaïs est parfaite.

Je les regardai toutes les deux.

– C'est bon, dis-je, je reste... Et aussi, merci de vous soucier de moi.

Un moment plus tard, nous nous déshabillions, ma tante Annie et moi, dans la chambre que Mme de Montespan nous prêtait pour la nuit. On nous avait apporté deux grands pots d'eau chaude. En chemise, j'y trempai la moitié d'une serviette et me la passai sur le visage, le cou et les bras. Annie, me tournant le dos, faisait de même.

Ti-Tancrède s'était trouvé une maison qui semblait lui plaire, sous un fauteuil. J'avais posé près de lui un bol d'eau et une poignée d'avoine, et j'espérai fort qu'il ne ferait pas de saletés hors du plat plein de sable qu'un des petits Maures m'avait porté pour cela.

– Quand va-t-il naître, le bébé de Mme de Montespan ? demandai-je.

– Dans deux ou trois mois, je crois, dit Annie.

– C'est son premier enfant ?

– Oh non ! C'est le huitième.

– Le huitième ? Il doit être bien content, M. de Montespan.

– Nnnnon… Non ! Honnêtement, on ne peut pas dire que M. de Montespan soit content.

– Il n'aime pas les enfants ?

– C'est… compliqué.

– C'est le moins qu'on puisse dire : je ne comprends rien.

– Eh bien, je vais être claire : M. de Montespan habite en Aquitaine, à deux cents lieues de Paris. Il voit rarement sa femme. Et seuls les deux premiers enfants sont les siens.

– Mais… alors, qui est le papa des autres ?

– Le Roi.

– Le Roi ?

– Le Roi est amoureux de Mme de Montespan et ils ont eu ensemble cinq enfants. Cela fera six avec celui-là. C'est pour cette raison que je disais tout à l'heure qu'Athénaïs est la plus importante personne de cette Cour.

– Mais… M. de Montespan est d'accord ?

– Pas du tout.

– Et la Reine ? La Reine est d'accord ?

– Encore moins.

– Mais… est-ce permis ?

– En aucune façon. Cependant le Roi a décidé de faire une exception pour lui-même.

– Il en a le droit ?

– Il a décidé de le prendre.

Je demeurai silencieuse de surprise. Nous étions à cent mille lieues de tout ce que j'aurais pu imaginer. Quel étrange endroit était cette Cour…

– Qui sait cela ? demandai-je encore.

– Tout le monde, répondit ma tante.

– Et… personne ne dit rien ? Personne n'est choqué ?

– Non. Au début, cela a un peu fait mauvais effet. Au point que le Roi et Mme de Montespan ont d'abord installé leurs enfants discrètement dans une maison de campagne. Et puis, très vite, tout le monde a accepté les faits. Leurs enfants vivent maintenant à la Cour. Plus personne n'y fait attention. Et tu verras que toi aussi tu t'habitueras bientôt.

Je restai perplexe. Nous étions couchées dans le grand lit. Ma tante avait soufflé les bougies. Quelque chose, soudain, surgissant de l'obscurité, heurta mon épaule. Ti-Tancrède, toute réflexion faite, avait décidé qu'il préférait notre grand lit à sa maison sous le fauteuil. Je le pris contre moi et caressai lentement son poil.

Mme de Montespan avait dit que Versailles était « une maison de fous »… En effet, il n'y avait que quelques heures que je m'y trouvais et j'allais déjà de surprise en surprise.

3

De nouvelles connaissances

EN PAGAILLE

Le lendemain, nous fîmes tante Annie et moi ma plus belle toilette : ma robe jaune mirabelle. Je l'avais toujours trouvée charmante, mais ce que j'avais vu la veille chez Mme de Montespan me faisait réaliser que, pour Versailles, elle était sans nul doute trop simple.

Pestechou !

Le premier qui dit que je fais « province », je le transperce !

Mais, je ne portais pas d'épée avec cette robe… Seigneur, que tout était compliqué, ici…

– Nous irons demain t'en faire apprêter d'autres, dit Annie. Athénaïs te recommandera à sa propre couturière.

D'accord, mais en attendant il me fallait affronter Versailles, sans armes, et dans ma robe de Potimaron.

J'aurais pu m'éviter cette crainte. Je compris vite que chez Marie-Louise d'Orléans on ne réduisait pas les gens au tissu de leur vêtement.

Je fis d'abord connaissance avec Gaétane. Elle avait douze ans, comme moi avec quelques mois de plus. Elle était fille d'honneur de *Mademoiselle* depuis l'automne précédent. Nous devions faire équipe et partager la même chambre.

Gaétane avait les cheveux châtain clair et était profondément sérieuse. Elle avait organisé notre chambre et strictement rangé de son côté tout ce qui lui appartenait. Une guitare et une mandoline étaient pendues au mur au-dessus de son lit, et des partitions étaient empilées sur sa table. Elle ne sembla pas se préoccuper de ma robe. Je jetai un regard rapide à la sienne. Non par esprit de rivalité – pour ce que j'y connaissais ! – mais seulement pour m'assurer que je n'étais pas trop différente. Il me sembla que sa robe couleur de châtaigne était d'un beau tissu et d'une coupe harmonieuse, mais qu'elle avait déjà beaucoup été portée. Gaétane accepta sans réserve la présence de Ti-Tancrède. Bref, ma nouvelle coéquipière me plut immédiatement.

L'après-midi, Gaétane me conduisit chez *Mademoiselle*.

Marie-Louise d'Orléans avait quinze ans. Elle était plutôt menue, d'une taille à peine plus grande que la mienne, un joli visage fin et des yeux noirs incroyablement beaux. Avec cela, il me sembla qu'elle avait quelque chose d'un peu triste. Dans son sourire, dans le coin de ses yeux, il y avait une sorte de mélancolie. C'était infime, mais je le sentis tout de suite.

Gaétane fit une révérence. Je l'imitai de mon mieux. Depuis que mon départ était décidé, ma tante Annie m'avait fait travailler aussi souvent que possible ce mouvement. Le plié de la jambe gauche, la jambe droite qui s'étend, le dos qui reste vertical. Par chance, cet exercice n'était pas très différent de certains entraînements d'escrime. Je manquais de grâce, mais, techniquement, je m'en sortais.

– Soyez la bienvenue, mademoiselle de Potimaron, me dit Marie-Louise. J'espère que vous vous plairez parmi nous.

Je récitai la phrase, à la fois élégante et naturelle, que nous avions, mot par mot, préparée avec Annie :

– Je remercie Votre Altesse de m'accueillir chez elle. Mon souhait le plus cher sera désormais d'être utile et agréable à Votre Altesse.

Plutôt pas vilain, non ?

Les présentations étaient faites. De retour à notre chambre, je fis part à Gaétane de cette brume de douleur que j'avais cru déceler dans l'expression de *Mademoiselle*. M'étais-je trompée ?

– Non, confirma Gaétane. *Mademoiselle* a perdu sa mère à l'âge de neuf ans. Elle ne s'est jamais consolée.

En combinant les informations détenues par Gaétane et Annie, je reconstituai l'histoire de ma nouvelle maîtresse, Marie-Louise d'Orléans, et celle de ses parents.

Son père, *Monsieur*, était le frère cadet du Roi. Il avait épousé tout jeune encore la princesse Henriette d'Angleterre qui n'avait que dix-sept ans. Mais les deux jeunes gens ne s'étaient jamais entendus. Ils s'étaient souvent et cruellement disputés. Et Henriette était morte d'une maladie brutale à l'âge de vingt-sept ans.

Monsieur, hors les cris et les querelles qu'il avait échangés avec sa première femme, était un brave homme. Il avait de la tendresse pour la fille née de son premier mariage. Il s'était remarié avec une princesse d'origine allemande, *Madame*. *Madame* était bonne et attentive envers sa belle-fille, mais une belle-mère n'est pas une maman et Marie-Louise s'était toujours sentie seule à l'intérieur de sa famille.

Bon, tout cela était bien triste…

– Tu verras, ajouta Gaétane, *Mademoiselle* est douce et gentille. Jamais elle n'use de contrainte envers personne, mais elle a une volonté faite comme une lame d'acier. Je crois que, s'il le fallait, elle serait peut-être la seule personne de cette Cour capable de dire « non » au Roi en face.

Avec ça, il était trois heures de l'après-dînée. Quelle tâche entrait dans notre service à ce moment de la journée ?

– Aucune, me dit Gaétane. Les jours ordinaires, c'est

pour nous un moment de repos. Marie-Louise fait la sieste, enfin elle dit qu'elle fait la sieste ce qui lui donne un moment pour lire en paix et demeurer tranquille sans personne avec elle.

– Et toi, que fais-tu, à cette heure ?

– Je travaille ma musique.

Je devinai, à une légère inflexion de sa voix, que je la gênerais si je restais. Elle ne devait pas aimer qu'on l'entende étudier. Mais, par délicatesse, elle ne me le dirait pas. Elle ne se sentirait jamais le droit de me mettre hors d'une chambre qui était à moitié la mienne.

Mais, en fait, cela tombait bien, car, moi, Ventre-Saint-Eustache et Sacré-Bedon-de-Saint-Crépinien ! j'avais envie d'aller prendre l'air.

Toutes ces histoires de mariages, de remariages, d'enfants nés hors mariage, dont je soupais depuis mon arrivée dans cet endroit et qui avaient l'air de si fort passionner tout le monde ici commençaient profondément à m'ennuyer.

Il était temps de passer aux choses sérieuses. Mon épée allait se rouiller dans son fourreau, et mon bras plus encore. Il était temps de chercher cet endroit où m'entraîner en paix, auquel je n'avais cessé de penser depuis mon départ de Potimaron.

– Je voudrais voir les jardins. Est-ce permis ?

Gaétane parut étonnée.

– Seule ? Oh non ! Pour sortir, nous devons être accompagnées par une dame adulte. Ou pour le moins être à deux…

– Est-ce que les garçons de notre âge ont le droit de se promener seuls ?

– Je crois que oui… J'aperçois parfois des pages seuls dans le parc ou sur les terrasses.

– Parfait !

Je plongeai dans ma malle et j'en sortis l'un de mes vêtements de garçon. Je passai derrière le grand paravent de notre chambre. J'ôtai ma robe mirabelle. Je la suspendis à un cintre et la lissai de la main pour qu'elle ne se fripe pas. Pour l'instant, c'était ma meilleure robe. Et puis, je l'aimais bien, elle me parlait de Potimaron, de ma chambre, de ma grande armoire qui sentait bon le bois de noyer et les sachets de lavande, elle me racontait les dimanches avec mon père… J'enfilai mes chausses, ma chemise et mon pourpoint. Je nouai mes cheveux en garçon sur la nuque, puis je sortis de derrière le paravent, tenant mes bottes, mon épée et mon chapeau à la main.

Gaétane ouvrit des yeux immenses.

– Mais… que… ?

Je m'assis par terre pour passer mes bottes.

– Je vais me promener.

– Tu… ?

– Tu m'as bien dit que c'était permis aux garçons.

– Mais, est-ce que tu… ?

– Oui ?

– Tu laisses Ti-Tancrède avec moi ?

– Cela t'ennuie ?

– Non, mais que ferai-je s'il a l'air triste ?

Je considérai mon lapin qui avait trouvé un endroit à sa convenance sur l'appui de la fenêtre. Couché dans un rayon de soleil, les pattes ramenées sous lui, les yeux mi-clos, il en entrouvrait un de temps en temps pour surveiller son monde.

– Il n'est jamais triste à cette heure-ci, assurai-je.

Les jardins étaient magnifiques, mais je compris vite que le lieu que je cherchais ne se trouvait pas là. Trop de monde. Trop de promeneurs qui n'avaient rien de mieux à faire que regarder les autres sous le nez, et particulièrement les jeunes pages en train de se promener loin de leurs semblables. Pourtant, derrière le labyrinthe, une clairière abritée des regards, entourée d'épais taillis, retint mon attention, mais des traces de passage dans les fourrés m'apprirent que d'autres que moi y venaient parfois. Dommage… Mais trop risqué.

Je tentai ma chance du côté des écuries. Peut-être y avait-il quelque part une remise inoccupée ? L'endroit m'enchanta. Je n'avais jamais vu une écurie aussi vaste ni tant de si beaux chevaux. J'en caressai quelques-uns. Je humai leur odeur. Sainte Vierge, comme j'avais envie de monter !

Ma jument Calypso me manquait… Un jour où Marie-Louise serait contente de moi – quand nous nous connaîtrions mieux – je lui demanderais la permission de faire venir Calypso dans cette belle écurie. Mon père se ferait une joie de me l'amener. Et cela lui donnerait un prétexte pour venir me voir.

Je fis de charmants projets, mais je ne trouvai aucun endroit qui me convienne dans le quartier de la Grande Écurie. Ici, on ne plaisantait pas avec le travail. Partout, des écuyers et des palefreniers allaient et venaient. Et avec cela, l'heure tournait. Il était temps pour moi d'aller retrouver mon poste de fille d'honneur.

Je regagnai l'aile du Midi où se trouvaient les appartements de *Mademoiselle*. Nous habitions au premier étage. L'appartement de Marie-Louise d'Orléans s'ouvrait sur un beau palier à balustrade de marbre. Mais soudain l'envie me prit de voir où menait cet escalier qui continuait sa volée au-dessus de chez nous. Un rapide regard, ça ne serait pas long... Je franchis le deuxième palier sans m'arrêter. C'était sûrement habité par des gens de la Cour et je n'avais pas envie qu'on me pose de questions. Au troisième, le plafond était plus bas et les portes en bois n'étaient pas vernies, j'étais sans doute à l'étage des valets et des chambrières. Au-delà, l'escalier devenait une sorte d'échelle étroite et pentue. Je la gravis sans bruit. La porte qui se trouvait en haut était gonflée par l'humidité mais n'était pas fermée à clef. Je la secouai en poussant fort. Elle s'ouvrit. Je pénétrai dans un vaste grenier. J'étais sous les toits de Versailles.

Ces combles étaient immenses et silencieuses. Le soleil de l'après-midi pénétrait par de grandes fenêtres rondes et emplissait l'endroit d'une lumière orange. Le plancher était ferme et agréable au pied. Je tirai mon épée, plaçai mes pieds en position, redressai les épaules, saluai un adversaire imaginaire et simulai trois passes d'assaut vers l'avant. Puis, trois pas de recul, j'avais affaire à un coriace. Morbleu, que c'était bon ! Je remis mon épée au fourreau. Il était temps de rentrer, j'allais être en retard. Mais mon espace secret d'entraînement était trouvé.

À surveiller

PARTICULIÈREMENT

Le matin, Marie-Louise allait à la messe à sept heures, et nous, toutes les filles d'honneur, avec elle. Oui, à Versailles, il était plus qu'obligatoire d'aller à la messe tous les jours. Et Marie-Louise disait qu'elle priait mieux dans la solitude du matin. Au début je trouvais désagréable cette habitude de l'aube qui nous faisait lever si tôt et rester l'estomac vide jusqu'au retour chez nous. Car, non, on ne communie pas avec le ventre plein. Mais je compris vite l'intérêt de cette messe du matin : elle nous évitait la grand-messe du Roi, à onze heures, qui durait une heure et demie et où toute la Cour se pressait. Marie-Louise ne tenait pas particulièrement à voir sa famille.

En revanche, ma princesse appréciait la nature et les promenades à pied. Et cela tombait bien car moi aussi. Elle marchait vite et nous entraînait dans de rapides randonnées dans le parc de Versailles. Nous étions en général accompagnées, ou plutôt gardées à vue, par sa Première dame d'honneur, Mme de Soulencourt. Mme de Soulencourt me détesta au premier coup d'œil. Je le lui rendis bien.

Quand je lui fus présentée, je lus dans son regard : « Enfant élevée avec une faiblesse irresponsable. Esprit rebelle. S'en méfier et surveiller particulièrement. Mater dès que possible. »

De mon côté, je pensai – en baissant les yeux pour qu'elle ne puisse pas, déjà ! me taxer d'insolence : « Tu joues la gentille avec tes airs onctueux, mais tu n'aimes que toi et tu ne penses qu'à préserver la vie agréable que tu mènes ici. »

Nous avions fait connaissance.Dans la tranquillité de notre chambre, j'interrogeai Gaétane :

– Nous l'aurons toujours sur le dos, cette Soulencourt ? Elle nous *saoule en cour…* Elle porte bien son nom.

– Oui, en tout cas, ici, à Versailles, quand nous sommes sous les yeux du Roi… Il faut comprendre que *Mademoiselle* est la première princesse du sang, car les trois filles que le Roi et la Reine ont eues sont mortes toutes petites. Le Roi tolère l'humeur sauvage de sa nièce, mais il exige que sa conduite soit irréprochable. Pour cela, il se repose sur Mme de Soulencourt.

– Donc, il n'y a pas moyen de lui échapper.

— Si. *Madame*, la belle-mère de Marie-Louise, n'aime pas la vie à Versailles. Dès qu'elle le peut, elle s'en va chez elle, dans son château de Saint-Cloud, et nous emmène avec elle. *Madame* n'apprécie pas beaucoup Mme de Soulencourt, alors elle trouve souvent une bonne raison pour l'envoyer en congé ou ailleurs... Je crois que tu te plairas à Saint-Cloud : nous y faisons ce que nous voulons ou à peu près.

J'avais compris le mode de fonctionnement de la maison : quand Mme de Soulencourt, l'œil du Roi, était là, on filait doux ; mais en son absence, les souris dansent. Simple, non ?

Gaétane était une Sainte-Austreberthe, c'est-à-dire qu'elle appartenait à la noblesse de chevalerie la plus illustre de Normandie. Le premier Sainte-Austreberthe mort au service de son Roi remontait au règne de Louis VI le Gros. Année mille cent et quelque chose. Combat du pont de l'Epte contre les Anglais. Une flèche dans la fente du haubert. Début de la gloire de la famille.

À force de se faire tuer de règne en règne, les Sainte-Austreberthe avaient gagné une renommée immense et perdu toute leur fortune. Il leur restait un vaste château dont la toiture fuyait de toute part et dont les deux cent soixante-dix fenêtres avaient un urgent besoin de vitres neuves. Gaétane était la troisième de six enfants.

— Je n'aurai pas de dot, donc, sans doute, je ne me marierai jamais ; c'est le lot des filles nobles sans le sou, m'expliqua Gaétane. Mais, au fond, pour moi, peut-être est-ce une chance : je veux être compositrice. Un mari aurait le droit de m'empêcher d'écrire ma musique…

Elle me racontait les efforts de ses parents pour lutter contre les déveines de chaque jour, et leur perpétuelle bonne humeur dans leurs soucis tout aussi perpétuels : une lézarde de plus, le toit qui perd ses ardoises, la pluie qui coule dans le grenier, les douves qui débordent… Et les trésors d'ingéniosité qu'il avait fallu fournir pour acheter cette jolie robe couleur de châtaigne, digne d'être portée à Versailles… Mais, moi, j'avais de l'argent : Annie me payait tout et mon père, pour se rassurer lui-même de me laisser affronter seule mon destin, m'en avait donné bien plus qu'il ne me fallait. Je me promis d'aider Gaétane, en secret si nécessaire.

Avec cela, il allait être trois heures, l'heure du repos de ma gentille princesse. Et, ô joie, ô paix de l'esprit, la Soulencourt aussi faisait la sieste ! Eh oui, la messe tôt le matin, ça fatigue…

Il me tardait d'aller retrouver ma salle d'escrime sous les toits. Je ressortis mes habits de garçon. Je les cachais, maintenant. Et tout particulièrement mes épées… Sur la plus haute étagère de notre garde-robe, derrière une pile de draps. Mme de Soulencourt me semblait tout à fait capable de venir fouiner dans nos affaires en notre absence. Pour atteindre ma cachette, il fallait monter sur une chaise, et puis encore sur un marchepied posé sur la chaise. C'était sérieusement instable, donc une cachette plutôt sûre. Je m'équipai pendant que Gaétane accordait ses instruments.

– Cela t'ennuie si je te laisse Ti-Tancrède ? demandai-je.

– Pas du tout, et, sais-tu ? je crois que ton lapin est musicien… Il m'écoute. Il me semble vraiment qu'il m'écoute quand je joue.

– Bien entendu, il t'écoute. Mon lapin a du goût. Moi aussi, j'aime t'écouter jouer.

– Oui, mais, toi, je n'aime pas que tu entendes quand je joue mal. Ti-Tancrède, j'attache moins d'importance… Je te jouerai mon morceau quand j'aurai l'impression qu'il sera prêt.

Décidément, j'aimais vraiment ces combles. Sans cesse, à Versailles, on était sous le regard de quelqu'un. Tout le monde observait tout le monde. Sous ce toit, je me sentais chez moi, en paix comme à Potimaron.

Les grosses poutres dégageaient une forte senteur de bois et de résine. J'adorais cela. Je l'aspirai longuement, comme un parfum coûteux. Le soleil déjà chaud frappait sur le toit. J'ouvris l'une des fenêtres ovales, une brise molle venue du parc pénétra dans le grenier. Je me penchai au-dehors pour tenter de comprendre où je me trouvais exactement. En bas, c'était la grande cour avec son va-et-vient habituel des courtisans, des carrosses et des maçons. Donc, j'étais tout en haut de la partie la plus centrale du palais, ce qu'on appelait le Château-vieux.

J'explorai aussi l'intérieur. Dans le fond du grenier, à

l'endroit le plus sombre, on avait entreposé d'anciens meubles, de vieilles commodes poussiéreuses, des chaises au tissu éteint, des cadres fanés tournés vers le mur. Ce n'étaient que des vieilleries. Je ne m'y intéressai pas.

Et je n'avais pas beaucoup de temps. J'étais ici pour travailler, vertuchou !

Je revins vers la zone lumineuse, près des fenêtres, à qui je décernai le nom « d'espace d'entraînement ». J'ouvris une autre fenêtre pour donner plus d'air. J'ôtai mon pourpoint et, avec une craie, j'entrepris de tracer mes repères sur le sol. Une piste d'escrime mesure quatorze pas de longueur. Ligne d'avertissement à deux pas. Ligne de mise en garde à cinq pas.

Je relevai mes manches de chemise, sortis mon épée et me plaçai, le buste droit et tourné de profil, les épaules effacées. Je saluai mon adversaire virtuel. À haute voix, je me commandai à moi-même :

– Messieurs, prenez place ! En garde. Tenez-vous prêts. Allez ! Un-deux-trois-quatre ! Un-deux-trois-quatre ! Attaque en coup droit-parade-retraite-riposte ! Un-deux-trois-quatre !

Seule et sans maître d'arme, j'avais choisi un travail simple. Mais je m'y appliquai pleinement. Un-deux-trois-quatre ! La sueur commençait à me couler sur les tempes et me mouiller le dos. Un-deux-trois-quatre ! Attaque-parade-retraite-riposte !

– Monseigneur, fit soudain une voix derrière moi, je crois que nous avons un intrus.

5

La Connétable

DE JOYEUSE

Je fis volte-face comme si l'on m'attaquait par-derrière. Je me retrouvai l'épée à la main face à un groupe de garçons que, trop occupée par mes exercices, je n'avais pas entendus arriver.

Ils étaient cinq. Ils m'observaient sans bienveillance. Trois étaient plus grands et plus vieux que moi. Deux, dont un petit brun, celui qui avait parlé, pouvaient avoir mon âge. De toute évidence, ce grenier était le leur. Donc, pour résumer : je venais de m'approprier le territoire d'une bande… Seule contre cinq. Pour ma première semaine à Versailles, on pouvait considérer que j'avais fait très fort.

Et pourquoi le petit brun avait-il dit « Monseigneur » ?

Monseigneur est le titre qu'on donne aux princes du sang. L'un d'eux était-il cousin ou neveu du Roi ? Ou était-ce un surnom ?

– Les bouseux sont parmi nous… observa le petit brun en me considérant de la façon la plus insultante. Range cette épée, rustaud ! Personne ne tire son arme en présence de Monseigneur le Dauphin sans son ordre exprès. Les cochons de ta ferme natale ne t'ont pas appris qu'on se retrouve à la Bastille pour moins que ça ?

Le Dauphin !

Ah bien oui, carrément.

Aussi désagréable que soit ce petit brun, il avait raison et je remis précipitamment mon épée au fourreau. Bien entendu : il est interdit de tirer son épée en présence du Roi ou de son fils ! Il y a eu assez de rois assassinés au cours des siècles pour nous apprendre cette précaution.

Mais lequel d'entre eux était le Dauphin ? Ils étaient tous vêtus en cavaliers sans tralala particulier. Mais, alors que cela ne m'avait encore jamais frappée dans le monde des filles, je pris soudain conscience de la désinvolture élégante de leurs vêtements. Leurs tissus avaient une belle apparence riche et souple. Le cuir de leurs bottes et de leurs ceintures était d'une beauté sublime. J'avais pris pour m'entraîner ma plus vieille tenue. Mes bottes, vieilles amies complices de tant de courses, étaient d'un cuir épais et griffé en de multiples endroits. J'avais l'air de ce que j'étais : un rustaud de la campagne, c'était évident. J'en rougis d'humiliation, et aussi de colère contre ce petit brun prétentieux qui m'avait jeté mon apparence à la figure comme une gifle.

— Pardonnez-moi, Monseigneur, marmonnai-je en rangeant mon épée.

J'avais parlé au hasard, en direction du groupe, ne sachant toujours pas lequel était le Dauphin.

— Il n'y a pas de mal, répondit l'un d'eux. Vous étiez tout à votre entraînement. Nous vous avons surpris. Vous vous êtes retourné. Vous ne m'avez nullement menacé. L'incident est clos.

C'était donc lui, le Dauphin. Louis de France. Le fils unique du Roi-Soleil. Un grand garçon blond tranquille et solide. Je savais qu'il avait quinze ans. Il possédait une gravité et une dignité au-dessus de son âge. Il m'avait parlé sans sourire, mais il y avait une sorte de curiosité et de la gaieté dans son regard. Est-ce qu'il se moquait lui aussi de mon apparence – auquel cas, mon ridicule était complet ! – ou avait-il seulement bon caractère ? Mais je n'eus pas le temps d'approfondir, le petit brun revenait à la charge :

— Qu'est-ce que tu attends pour déguerpir, le bouseux ? Monseigneur a dit qu'il te pardonnait ! Tu n'as pas un peu l'impression que tu prends racine, là ?

Bien sûr, j'aurais dû partir. Et en m'excusant une fois de plus auprès du Dauphin. Mais l'insolence de ce coquelet brun m'exaspéra, ainsi que le plaisir qu'il prenait à m'humilier toujours plus. Je n'avais aucune raison de me laisser traiter ainsi. Et devant le Dauphin, encore.

Qu'aurait dit mon père s'il m'avait vue dans cette situation ?

— Monsieur, répliquai-je, voilà deux fois que vous m'insultez. La première fois passe car j'avais le tort d'être là et d'avoir l'épée à la main. Mais cette seconde fois est de trop. Je suis peut-être depuis peu à Paris, mais je suis aussi bon gentilhomme que vous. Je vous demande de retirer vos dernières paroles.

Ce noble discours était inutile et assez ridicule, je m'en rendais parfaitement compte, mais j'étais trop agressée dans ma fierté pour prendre sur moi de m'en aller l'oreille basse. Est-ce que je voulais que le Dauphin garde de moi le souvenir d'une fuite honteuse et apeurée ?

— C'est le mot bouseux qui vous chagrine ? rétorqua mon persécuteur décidément infatigable. Pour moi, il n'y a pas d'offense dans ce mot. Vous arrivez de la campagne, vous l'avez dit vous-même. À la campagne, on ne peut aller nulle part sans se mettre de la bouse aux pieds. Vous n'y êtes donc pour rien.

Machinalement, ils baissèrent tous les yeux sur mes bottes, comme pour y chercher les traces de cette bouse infamante. Elles étaient propres, nullement crottées, mais le contraste avec les merveilles de cuir fin et brillant qu'ils portaient tous fut comme une injure de plus.

C'était par l'art d'insulter les autres qu'on faisait sa place à Versailles ? Je fixai le coquelet dans les yeux :

— On dit que Madame votre mère n'y voit pas clair, c'est une chance pour elle car elle se serait évanouie d'horreur le jour de votre naissance en découvrant votre si vilaine face.

C'était bête, nul et gratuit. Exactement l'effet que je cherchais.

Le sourire satisfait du petit brun disparut d'un coup.

– Pour le coup, Monseigneur, dit-il, il y a offense !

– Offense défiante, provocante et publique, ajoutai-je. Maintenant, nous sommes quittes. Mais c'est vous qui avez commencé.

Tous les regards se tournèrent vers le Dauphin, comme pour demander son arbitrage.

– En effet, confirma le Dauphin, il y a eu offense des deux côtés, pour un sujet bien mince, et même inexistant ; et c'est vous, Lavandin, qui avez commencé. Je propose que vous retiriez l'un et l'autre vos paroles et que l'affaire en reste là.

– Je refuse ! dit Lavandin (je connaissais maintenant son nom). Il a mis en cause ma mère.

– Vous avez bien mis en cause toute ma famille, donc mon père, répondis-je ; je refuse aussi les excuses.

Ce qu'il y a de particulièrement sot dans ces histoires d'escalade de provocations, c'est qu'il est impossible d'être le premier à accepter de calmer la situation sans paraître manquer de courage.

– Vous tenez vraiment à combattre pour une affaire de rien ? insista le Dauphin.

– Oui, répondit Lavandin.

– Ce n'est pas une affaire de rien, Monseigneur, dis-je. Je ne suis que depuis une semaine à Versailles et je viens

de me faire cruellement et sans motif humilier en votre présence. Si je ne me bats pas, je ne pourrai jamais croiser à nouveau votre regard. Je n'aurai plus qu'à rentrer chez moi cacher ma honte.

Le Dauphin et ses amis semblaient apprécier les nobles sentiments de la chevalerie car je crus ressentir chez eux un courant d'approbation à mon égard. J'avais résisté à la première épreuve, celle de l'intimidation. Même Lavandin m'observait maintenant autant de considération qu'il m'avait montré tout à l'heure de mépris. Curieux garçon ! Il fallait que j'accepte que nous nous embrochions l'un l'autre pour qu'il m'accorde son estime ? Je découvris à cet instant que j'ignorais tout des garçons.

– Vous avez du cœur, dit le Dauphin. Comment vous appelez-vous ?

Je saluai :

– Gabriel de Potimaron, Monseigneur. Je suis page de Mademoiselle d'Orléans.

Oui, bon, d'accord ! Mais il fallait bien trouver quelque chose… Et, chose curieuse, sans que je comprenne bien pourquoi, le nom de ma maîtresse Marie-Louise éveilla soudain chez eux un véritable intérêt, en particulier celui du Dauphin qui me dévisagea avec plus d'attention encore. L'un des garçons sembla étonné et interrogea :

– *Mademoiselle* a des pages, maintenant ?

J'affirmai avec aplomb :

– Depuis une semaine, elle m'a moi.

Au fond, ce n'était pas un mensonge.

Je pouvais être fille d'honneur quand je portais une robe, et page quand j'étais en bottes et pourpoint. Cela se tenait.

– *Mademoiselle* a depuis peu une fille d'honneur qui a pour nom Eulalie de Potimaron, intervint le Dauphin. Êtes-vous de sa famille ?

Jésus Seigneur !

Le Dauphin connaissait mon existence ! Comment savait-il cela ? À part Marie-Louise, Gaétane et la Mme de Soulencourt, personne à Versailles ne devait avoir encore pris acte de ma modeste présence… J'en restai un instant sans voix, mais je finis par répondre :

– Oui, Monseigneur.

C'était la vérité : j'étais moi-même de ma famille.

Mais, à cet instant, Lavandin fit deux pas en avant, le chapeau à la main :

– Je m'appelle Marc de Lavandin. Si cela vous convient, j'aurai l'honneur de vous affronter ici, demain, à trois heures. Avez-vous un second ?

Décidément, ces garçons adoraient se faire tout un théâtre avec leur chevalerie.

– Cela sera Mlle de Sainte-Austreberthe, dis-je. C'est la seule personne que je connaisse assez pour lui demander ce service.

Mes interlocuteurs marquèrent un peu d'étonnement.

– Une fille peut-elle être second dans un duel, Monseigneur ? demanda Lavandin.

– Rien ne s'y oppose, répondit le Dauphin. Il y a un

précédent : le Connétable de Joyeuse se fit seconder par son épouse lors d'un duel fameux dans les fossés du château de Blois. Mme de Joyeuse combattit elle aussi et défit même son adversaire.

— En ce cas ! firent-ils tous.

Cette histoire me fit plaisir, car un point me chiffonnait : j'avais caché que j'étais une fille. Or y avait-il des règles particulières s'appliquant aux filles dans les duels ? L'exemple de cette Dame de Joyeuse semblait indiquer que non.

Mais l'heure tournait et il fallait que je redescende chez Marie-Louise avant que Soulencourt ne s'aperçoive de mon absence. Je pris congé.

Le Dauphin fit quelques pas avec moi, nous éloignant des autres. À mi-voix, il me recommanda :

— Sauf à votre second, ne parlez pas du rendez-vous de demain : les duels sont interdits… Et, je vous demande autre chose encore : ne dites à personne que nous nous réunissons, mes amis et moi, dans cet endroit.

J'inclinai brièvement la tête :

— Comptez sur moi, Monseigneur.

Il hésita un instant, cherchant ses mots et — me sembla-t-il — rassemblant son courage. Il se décida enfin :

— Verrez-vous *Mademoiselle* ce soir ?

Il parlait plus bas encore. Nous avions atteint le stade du murmure.

— Sans doute, répondis-je comme lui à voix très basse, mon service ne va pas tarder à reprendre.

– Si vous la voyez seule – j'entends vraiment seule, en ce sens que nul autre qu'elle ne puisse entendre – voudriez-vous lui transmettre un message de ma part ?

– Bien entendu, Monseigneur.

– J'ai votre parole de garder un silence absolu sur cela ?

– Une tombe, Monseigneur. Ma foi de gentilhomme !

– Alors, dites-lui que Louis lui envoie son respect infini.

6

Vif
COMME UNE GUÊPE

Je dévalai l'escalier en sautant les marches. Logiquement, j'aurais dû être consternée car j'avais tout de même de sérieuses chances de me retrouver blessée, peut-être gravement, dans moins de vingt-quatre heures.

Conséquences : sang, douleur, drame, renvoi quasi certain de Versailles, consternation de mon père, d'Annie et de Gaétane, et triomphe secret de Mme de Soulencourt.

J'essayai de me représenter bien nettement toutes ces catastrophes, mais je n'arrivais pas à me faire vraiment peur. Cette aventure, le Dauphin et ces garçons romanesques qui aimaient tant les histoires de chevalerie me plaisaient… Il était possible que Versailles soit un endroit moins ennuyeux que prévu. Et dire qu'Annie m'avait vanté les gens « normaux et civilisés » de Versailles… Dans ce lieu entièrement tourné vers la modernité, la construction et le désir de nouveauté, j'avais réussi à dénicher les derniers amoureux de l'idéal chevaleresque. Quelle chance !

– Quelle crétinerie, oui !

Gaétane ne trouvait rien d'exaltant dans mon histoire.

– Cet imbécile t'a injuriée ; comme une autre imbécile, tu as répondu ; et, demain, vous allez vous battre à l'épée avec le danger qu'un de vous soit tué, alors que vous méritez en gros chacun une paire de claques !

Je réfléchis un instant.

– En quelque sorte, oui, c'est exactement cela… Mais, tu sais, devant le Dauphin, il m'était impossible de faire autrement.

– Tu ne pouvais pas simplement t'en aller ? « Pardon pour le tracas, ne vous dérangez pas, je connais le chemin, bien le bonsoir messieurs… »

– Les règles de l'honneur sont bêtes, mais elles existent. Fille ou garçon, ils auraient bien su un jour que j'appartiens à *Mademoiselle* et j'aurais déconsidéré toute sa maison.

Gaétane ne répondit rien. Je poursuivis :

– Je n'ai pas du tout l'intention de tuer Marc de Lavandin. Et je suis bien sûre que lui non plus. Nous devons nous prouver l'un à l'autre notre courage en engageant le combat, c'est tout.

– Jusqu'au premier sang, oui, je sais… Mais, quand deux idiots se battent avec des pointes, les accidents peuvent arriver. Et les blessures ensuite s'enveniment. On peut mourir pour des histoires aussi stupides.

– Tu m'accompagneras quand même ?

– Naturellement. Maintenant que le mal est fait, il faut y aller. Cette querelle est secrète, mais il n'est pas question qu'on puisse soupçonner la maison de *Mademoiselle* d'avoir peur.

Au fond, en dépit de tout son sérieux, Gaétane avait le cœur encore plus mousquetaire que moi.

Mon premier duel eut lieu le lendemain à trois heures.

J'avais revêtu ma meilleure tenue de garçon et ciré mes bottes jusqu'à en avoir mal au bras. J'avais fait briller au blanc d'Espagne mon épée de combat qui allait servir pour la première fois. Gaétane avait mis sa robe et son chapeau de chasse afin de se sentir plus à l'aise dans ce milieu masculin.

Les garçons nous attendaient, nets et droits, avec sur le visage le sérieux des grands jours.

Le Dauphin présenta ses trois compagnons dont je n'avais pas appris le nom la veille : « Monsieur de Chalamar, monsieur d'Us, monsieur de Saint-Aubin ».

Je présentai à mon tour : « Mademoiselle de Sainte-Austreberthe ». Gaétane fut accueillie avec la plus grande considération. Son nom figurait tout au long de l'histoire des croisades et auprès de la plupart des rois de France dans leurs œuvres guerrières. Je réalisai soudain à quel point j'avais de la chance de l'avoir auprès de moi, ma musicienne qui avait échangé les épées à deux mains de ses ancêtres contre les six cordes d'une guitare.

On compara nos lames, elles étaient de même longueur. Lavandin était plus fluet que moi, ce qui pouvait me donner un léger avantage de puissance. Nous avons ôté nos pourpoints puis, en chemise, pris nos places. Nous nous sommes salués, la poignée de l'épée portée devant le visage.

La veille, je n'avais ressenti que de l'excitation et, la nuit, j'avais assez bien dormi. Mais depuis le matin mon émotion n'avait fait que grandir. Ce n'était pas vraiment de la peur… Enfin, je ne crois pas… Du trac, plutôt… La sensibilité à vif… Durant toute la matinée, j'avais essayé de me concentrer uniquement sur mon combat. Je m'étais répété plusieurs fois, et même encore au moment de prendre place : « Ne penser à rien d'autre que la technique et donner ma meilleure escrime. »

M. de Chalamar qui commandait ordonna :

— Messieurs, tenez-vous prêts.

Mon cœur se serra. Je m'obligeai à respirer lentement et profondément. Je ne regardai pas mon adversaire au visage, ce n'était plus le moment, je savais que cela ne pouvait que faire naître des pensées parasites et des instants d'inattention, je portai mon regard sur l'extrémité de son épée. C'était sur ce point que devait désormais se concentrer la totalité de mon attention.

— En garde.

La pointe de l'épée, et ensuite le bras de l'adversaire et la position de son corps dans l'espace.

– Allez !

Lavandin attaqua immédiatement, vif et rapide comme une guêpe. Mais je m'y étais préparée, j'avais prévu que ce criquet était un paquet de nerfs. Je contrai deux attaques, pif, paf, mais la troisième arriva si vite que j'eus à peine le temps de l'esquiver. Pas complètement du reste car je ressentis quelque chose à l'épaule. Mais je n'eus pas le loisir de me demander si j'étais blessée car mon adversaire avait commis l'erreur de trop avancer dans cette troisième attaque. Je le vis et je sus que pendant la demi-seconde qui allait suivre, il serait en retard pour replacer sa garde. Pendant un bref instant ce fut le vide devant mon épée. Je ne me posai aucune question : de toute mon énergie, avec toute ma volonté, je me fendis en avant et m'enfonçai dans cet espace non défendu. La pointe de mon épée toucha mon rival à l'avant-bras.

– Le combat est terminé, fit la voix de Chalamar. Veuillez remettre vos épées au fourreau.

Le duel entre Mlle de Potimaron et M. de Lavandin sous les combles de Versailles avait duré en tout et pour tout quinze secondes. Nos épées s'étaient touchées six fois. Résultat : deux blessures qui ne menaçaient pas le Roi de France de perdre prématurément deux jeunes et loyaux sujets. J'avais toujours imaginé qu'un duel, cela durait longtemps, avec la fatigue qui monte des deux côtés et le plus résistant à l'épuisement qui finit par l'emporter…

La Connétable de Joyeuse avait-elle été aussi rapide que moi ?

Je ne pus m'empêcher de faire tout haut cette remarque :

– Est-ce souvent si court, un duel ?

– Parfois, répondit le Dauphin.

Je commençais seulement à réaliser que tout était terminé et à en éprouver un intense soulagement, d'abord parce que ni Lavandin ni moi n'avions vraiment de mal, et aussi parce que j'avais tenu bon jusqu'au bout de l'épreuve.

On procéda alors au rite du soin des blessures. Gaétane déchira ma manche de chemise. L'épée de Lavandin m'avait frôlé l'épaule droite en emportant un peu de peau et en faisant apparaître deux ou trois gouttes de sang. On ne pouvait même pas appeler ça une blessure, à peine une éraflure. Gaétane fit une compresse avec ma manche de chemise et l'arrosa d'une eau-de-vie dont Chalamar avait apporté une bouteille. Elle me l'appliqua sur l'épaule. Cela me brûla d'une façon abominable, mais, bien entendu – c'était la moindre des choses – je pris sur moi de rester impassible. J'essayai même de sourire, un sourire sans doute un peu contracté. Puis Gaétane serra le pansement avec son mouchoir, aussi fort que s'il s'agissait d'arrêter une hémorragie cataclysmique.

M. d'Us en faisait autant avec Lavandin. Sa blessure était plus profonde que la mienne. Néanmoins, bien serrée et arrosée d'eau-de-vie, le saignement s'arrêta, ce qui rassura tout le monde, et surtout moi. Le Dauphin et Chalamar qui semblaient s'y connaître en premiers soins contrôlèrent qu'il pouvait bouger à volonté tous les doigts, ce qui était le cas. Dieu merci, je ne lui avais rien abîmé de grave, en tout cas ni nerf ni tendon. Gaétane avait raison : c'est bête et dangereux les duels.

Il nous restait une dernière règle à observer. On nous passa à Marc et moi la bouteille d'eau-de-vie. Nous devions en boire tour à tour une ou deux gorgées directement au goulot pour consacrer notre réconciliation. Marc prit la bouteille de la main gauche, la droite étant pour quelques jours indisponible, et but d'un trait, sans ciller ni broncher. Je n'avais jamais rien bu de cette sorte, mais je défendais l'honneur de la maison de *Mademoiselle* et il n'était pas question de faire moins bien que lui.

Je pris sans hésiter deux gorgées coup sur coup. Mort foudroyante de tous les diables ! J'eus l'impression d'avoir avalé un volcan en activité… La gorge me brûla, les larmes me montèrent aux yeux, le nez me piqua comme si un éternuement monumental s'apprêtait à me faire exploser la tête. Je réunis toutes mes forces pour résister. C'était la dernière épreuve : il *fallait* demeurer imperturbable… Par bonheur, ces malaises disparurent d'eux-mêmes assez vite. Plus vite que je ne m'y attendais, même. Il ne m'en resta qu'une vague nausée et une bizarre envie de rire sans raison. Je croisai le regard de Marc, qui me sourit largement. Puis, celui de Gaétane qui souriait aussi. Je leur rendis leurs sourires.

– Bouseux ! murmura Lavandin, comme pour conclure définitivement notre affaire.

– Minus ! répondis-je en cessant pour cette fois définitivement de me retenir de rire.

Allons, tout était fini. Ventre-Dieu, que d'histoires pour sceller une amitié et prouver que les filles d'honneur de *Mademoiselle* (ou ses pages, je ne savais plus très bien où j'en étais) valaient en courage les compagnons de Monseigneur !

Avant de nous séparer, le Dauphin m'entraîna à l'écart.

– Avez-vous pu transmettre mon message à *Mademoiselle* ?

– Oui, Monseigneur.

– Étiez-vous bien seuls ?

– Parfaitement seuls. Avant de dormir, elle aime boire une tisane de fleur d'oranger. C'est moi qui la lui ai portée. Je lui ai répété à ce moment les paroles de Monseigneur.

– A-t-elle dit quelque chose pour moi ?

– Non, Monseigneur.

– Ah…

Louis de France savait garder pour lui ses émotions, mais je compris – ce n'était pas bien difficile ! – que sa déception était intense. Il aimait donc à ce point sa cousine ? Je me souvins qu'il se tenait au courant de tout ce qui se passait chez elle. Il avait même su la date de mon arrivée, enfin, de celle d'Eulalie… Saisie de compassion, je voulus l'aider.

– Monseigneur, si j'osais…

– Dites.

– Eh bien, Mademoiselle d'Orléans m'a écoutée en buvant sans lever les yeux. Mais, quand elle m'a rendu la tasse, elle m'a regardée bien en face et m'a dit : « Je vous remercie, mademoiselle » avec un air de bonheur qui, à mon avis, ne devait rien à cette tasse d'infusion.

– Elle a dit : « Je vous remercie, mademoiselle » ?

Je rectifiai en hâte :

– « Gabriel ! » Elle a dit : « Je vous remercie, Gabriel » ! Mais il y a autre chose encore…

– Dites vite !

– *Mademoiselle* a le teint mat, mais, quand elle a entendu le message de Monseigneur, elle a rougi.

– Elle a rougi ! Vous en êtes sûr ?

– Presque certain, Monseigneur.

– Oh ! mon Dieu…

Et Louis de France qui, lui, était blond au teint clair, rougit violemment à son tour, et dans son cas il ne pouvait y avoir de doute.

– Merci… dit-il. Votre épaule vous fait-elle souffrir ?

Je repris instantanément mes airs braves d'homme d'épée :

– À peine, Monseigneur. Ce n'est qu'une égratignure.

– Écoutez, Eulalie. J'ai bien compris malgré tous vos efforts que Gabriel et Eulalie ne sont qu'une seule personne. Mais Gabriel ou Eulalie, vous avez prouvé votre valeur. Voulez-vous être de mes compagnons ? Vous pouvez rester Gabriel si cela vous plaît, mais sachez que rien n'empêche que vous soyez Eulalie parmi nous.

– J'accepte avec reconnaissance, Monseigneur. Et, si j'ai le choix, je préfère rester Gabriel. Gabriel possède une liberté d'aller et venir qui est refusée à Eulalie. Monseigneur me gardera-t-il le secret ?

– C'est votre secret. Et un secret est sacré.

J'adore ce Dauphin !

Romarin
ET CERISIERS

De retour dans notre chambre, Gaétane prétendit refaire mon pansement et appliquer sur ma blessure une huile de romarin qui devait faire merveille.

— Aaaaaïeu ! Ça pique. Tu es obligée d'appuyer comme une malade ?

— Tu es obligée de gémir comme une mauviette ? Ah ! là-haut, c'est autre chose… M. le chevalier de Potimaron se laisserait couper une jambe sans pousser un soupir.

— Si j'avais bougé un cil, là-haut, tu ne m'aurais plus adressé la parole de ta vie.

— Bien entendu ! Il n'aurait plus manqué que cela… Tu aurais déshonoré la maison.

— N'empêche, tu ne veux pas faire plus doucement ?

— Je touche à peine…

J'avais jeté mes affaires de garçon derrière le paravent et remis une chemise de fille. J'étais assise sur mon lit, l'épaule à l'air. Quelqu'un frappa deux coups rapides à la porte et, sans attendre de réponse, entra chez nous. C'était la manière habituelle de Soulencourt. Je me demandais même parfois pourquoi elle se donnait la peine de frapper. Ti-Tancrède, qui possède un instinct très sûr du danger, démarra comme une fusée et disparut sous un lit. Elle n'eut pas le temps de l'apercevoir.

— Mesdemoiselles, fit Soulencourt, je vous ai cherchées tout à l'heure, vous n'étiez pas là… Et maintenant, vous voilà en retard ! Faites diligence pour vous préparer, *Mademoiselle* sort se promener.

À cet instant, son regard tomba sur mon épaule.

— Mademoiselle de Potimaron ! Que vous est-il arrivé ?

Je lui adressai mon regard le plus angélique.

— Nous étions en bas, sur la pelouse, juste devant vos fenêtres, pour jouer à la raquette… Vous ne nous avez donc pas vues ? Le volant s'est perché dans un cerisier. Je suis montée pour le chercher, mais l'arbre venait d'être taillé et une branche coupée en oblique m'a causé cette éraflure.

Cette explication, qui me semblait parfaitement vraisemblable et innocente, la scandalisa au dernier point.

— Mais… Mais, depuis quand des filles d'honneur montent-elles aux arbres ? Que dirai-je au Roi s'il apprend cela ?

J'ouvris des yeux étonnés :

– Où est le mal ? Ce volant appartenait à *Mademoiselle*, je n'allais pas le laisser perdre…

– Où est le mal ? Ai-je bien entendu ? Êtes-vous sotte à ce point ? Ne comprenez-vous pas que, perchée sur un arbre, tous les passants – même les gardes et les valets ! – pouvaient voir vos jambes et l'envers de vos jupons ?

– Tiens, c'est vrai, fis-je ingénument… Qu'aurais-je dû faire, alors ?

– Appeler un jardinier, bien sûr ! Et lui demander d'aller quérir votre volant avec son échelle. Ces gens sont là pour ça.

– Je vous promets, madame, dis-je, que je n'oublierai pas.

Elle hésita un instant, cherchant quel reproche elle pouvait bien encore m'adresser, mais elle renonça, le temps pressait.

– Soyez prêtes dans cinq minutes ! somma-t-elle en tournant les talons. Si *Mademoiselle* doit attendre à cause de vous, vous aurez des ennuis.

Je l'entendis encore marmonner de l'autre côté de la porte à propos de ces oies de la campagne qu'on lui envoyait comme filles d'honneur, si bêtes et mal dégrossies qu'il fallait tout leur apprendre… De mon côté, j'adressai à son dos une série de grimaces, que je fis suivre, en chemise et les jambes à l'air – justement ! – de la danse de sauvages la plus endiablée et la plus sarcastique que je puisse inventer. Mais j'arrêtai d'un coup mon irrespectueuse sarabande et me retournai vers Gaétane. Pour ne pas exploser de rire, elle s'était obligée à regarder ses pieds pendant toute ma conversation avec la Première dame d'honneur.

– J'ai eu une idée, dis-je.

Elle fit observer :

– Nous sommes en retard.

– Aucune importance. Cela ira vite. Je pensais à Lavandin… Hier, nous nous sommes injuriés, nous étions prêts à nous étrangler l'un l'autre. Mais nous avons tous deux été blessés dans ce duel, ce qui nous rendra amis, je pense pour très longtemps. Cela ressemble un peu au rite de l'échange de sang.

– Sauf que l'échange du sang, cela ne peut se faire qu'une seule fois dans la vie. Et avec une personne que l'on choisit, pas qu'on rencontre par hasard dans un grenier et qui vous traite de bouseux.

– Je le sais bien ! laisse-moi finir… Tu as été mon second dans ce duel, c'était interdit, tu pouvais à cause de moi te faire chasser de Versailles et causer une grande peine à tes parents. Et à toi-même car j'ai bien compris que ce à quoi tu tiens le plus ici, c'est de pouvoir entendre la musique de M. de Lulli et de M. Charpentier. Tu as risqué de sacrifier cela pour moi sans même te poser la question. Ta présence m'a empêchée d'avoir peur au moment critique. Tu m'as soignée quand j'étais blessée. Je pense que personne ne pourra jamais me donner autant de preuves d'amitié en si peu de temps. Je me demandais si tu voudrais bien pratiquer avec moi l'échange du sang.

Comme toujours, la décision de Gaétane fut immédiate.

– Tu as raison, cela ira vite.

Elle saisit sur sa table le canif qui lui servait pour tailler ses plumes à écrire, retroussa sa manche et se fit au bras une légère incision, le sang perla immédiatement. Elle me tendit le canif. Ce fut mon tour. Je lui tendis mon avant-bras d'où un peu de sang coulait. Le poing fermé, elle appuya son bras comme une croix contre le mien, sa blessure contre la mienne. Pendant une demi-minute, nos sangs s'entremêlèrent et se joignirent. Puis nos deux coupures accolées l'une à l'autre cessèrent de saigner. Le rite était accompli.

J'étais bouleversée par la rapidité avec laquelle Gaétane avait pris sa décision, et avec laquelle elle l'avait exécutée. Quand il était question de devoir ou d'amitié, jamais elle n'hésitait, ni ne remettait rien à plus tard. J'étais dans le ravissement d'avoir une telle amie. Des larmes me montèrent aux yeux. Gaétane me sourit.

– Maintenant, nous sommes définitivement en retard, observa-t-elle.

Je pense
À VOUS...

Mon cher père...

Je décidai de ne pas parler à mon père de mon duel. En tout cas, pas dans cette première lettre. Il s'inquiéterait, se tourmenterait, harcèlerait Annie – qui n'était au courant de rien – de questions...

Bien sûr, je le lui raconterai ! Mais plus tard, de vive voix, la prochaine fois que nous nous verrions.

Quant à mon entrée dans la société secrète du Dauphin, par définition, elle était secrète.

Je repris :

Mon cher père,

Maintenant que j'y vis, je vois que Versailles n'est pas un endroit pénible ni ennuyeux. Je vous prie d'oublier toutes les mines et bouderies dont je vous ai accablé avant mon départ, et je vous remercie de m'y avoir envoyée. Mais, avec cela, vous me manquez beaucoup, mon petit papa chéri, et il n'y a pas de jour où je ne pense à vous.

Eulalie

9

Des loirs

DANS LE GRENIER

J'avais compris dès ma première journée de fille d'honneur que l'après-dînée était un moment tranquille à Versailles. Le Roi et la plupart des personnes importantes se retiraient dans leurs appartements. La vie officielle de la Cour s'arrêtait pour deux ou trois heures. C'était l'heure des amoureux, des rendez-vous secrets et de toutes les activités qui préfèrent se passer du regard des autres.

À cette heure, chez *Mademoiselle*, chacune avait ses habitudes. Marie-Louise restait chez elle, Mme de Soulencourt faisait la sieste et Gaétane travaillait sa musique. Alors, j'avais fait comme tout le monde, j'avais pris mes habitudes à moi. Je revêtais mes discrets habits de garçon et je rejoignais le Dauphin et ses compagnons dans le grenier du Château-vieux.

Il y avait une personne dont nous devions particulièrement nous garder - et ici, quand je dis « nous », je parle du Dauphin et de la société secrète – c'était du duc de Montausier, le gouverneur du Dauphin. Le duc était commis à la surveillance du Dauphin depuis que celui-ci avait six ans et, depuis le premier jour, Montausier racontait au Roi tout ce qu'il voyait et entendait chez Louis. Pis encore que Soulencourt chez Marie-Louise, c'est dire... Mais le duc se faisait vieux, lui aussi appréciait un moment de repos après son repas. À trois heures, c'était plus fort que lui, le besoin de dormir l'anéantissait.

Les combles de Versailles étaient un espace de liberté. À part nous, personne n'y venait jamais, sauf, parfois, un paisible couvreur qui passait par là quand le vent avait fait tomber des ardoises du toit. Nous lisions des romans de chevalerie. Saint-Aubin, qui était poète, nous disait ses vers. Et nous nous entraînions aux armes. J'aimais l'escrime avec passion. Mon père me l'enseignait quand j'étais à Potimaron. Il m'avait appris que l'escrime n'est pas la science d'embrocher son prochain, mais à la fois un art, une morale et une philosophie.

Mes compagnons de la société secrète prenaient des leçons avec d'excellents maîtres d'armes italiens et j'avais beaucoup à apprendre d'eux. J'aurais bien aimé, moi aussi, avoir un maître d'armes, mais il n'y fallait pas songer. J'étais à la Cour pour devenir une demoiselle accomplie et – je ne sais pourquoi – les jeunes filles n'étaient pas censées savoir tirer l'épée. Ç'aurait même été mal vu. J'imaginais la tête de Soulencourt si mon père lui avait écrit pour dire qu'il souhaitait que je prenne des leçons avec un maître d'armes italien. « Miséricorde ! Non seulement cette enfant est ingérable, mais en plus le père est fou… »

Depuis quelques jours, une idée m'occupait et j'y pensais souvent. J'attendis un moment où le Dauphin se trouvait seul :

— Monseigneur, savez-vous que *Mademoiselle* va tous les jours à la messe à sept heures du matin ?

Bien entendu, je savais qu'il le savait. Il connaissait, heure par heure, tout ce que faisait sa cousine.

— Je sais cela, dit-il, mais poursuivez…

— La chapelle est presque déserte à cette heure, c'est un moment très tranquille, et même agréable.

Il fallait comprendre, et ça n'était pas bien compliqué : « Toi qui aimes tant ta cousine, si tu allais aussi à cette messe tu pourrais passer chaque matin trente-cinq minutes auprès d'elle. Trente-cinq minutes de sa présence ! Trente-cinq minutes à la regarder, peut-être à lui sourire… Et pense à son bonheur à elle ! Quelle sorte d'amoureux es-tu pour n'y avoir pas encore songé toi-même ? »

Louis de France demeura un instant rêveur.

— Le Roi, répondit-il enfin, tient à avoir sa famille auprès de lui chaque jour à la grand-messe de onze heures.

— Mademoiselle d'Orléans fait aussi partie de la proche famille du Roi.

— Mon père a pour ma cousine une indulgence spéciale.

— Vous pourriez donner pour explication, Monseigneur, que vous priez mieux dans la solitude du petit matin…

C'était une excuse qui fonctionnait très bien puisque c'était celle de Marie-Louise. Et en effet : que pouvait-on redire à cela ?

Louis sourit.

— Merci pour vos bonnes idées, Eulalie, j'y songerai. Mais, vous, pensez donc un peu à votre escrime, Chalamar vous attend.

Quand nous étions seuls, le Dauphin m'appelait Eulalie ; mais, au sein de la société secrète, j'étais officiellement Gabriel.

Les cinq membres de la société savaient tous parfaitement que Gabriel de Potimaron, page de *Mademoiselle*, était en réalité Eulalie de Potimaron, fille d'honneur de *Mademoiselle*. Non, on n'entre pas dans une société secrète en se faisant passer pour qui on n'est pas. Ou alors, il faudrait vraiment avoir un goût de la clandestinité poussé à l'extrême… Mais ils savaient tous aussi que le page Gabriel disposait pour se déplacer dans Versailles, et donc pour les rejoindre, d'une liberté que la jeune fille d'honneur n'aurait jamais.

En quelque sorte, Gabriel était mon nom de code parmi eux.

J'aimais faire des armes contre Chalamar. Il était grand, tranquille et flegmatique. Son calme m'obligeait à me calquer sur lui. En escrime, il ne me faisait aucun cadeau parce que j'étais une fille et j'appréciais cela. Nous nous sommes salués de nos épées et avons pris position, mais, à cet instant, j'entendis dans notre grenier un bruit si étrange que je m'arrêtai net.

Ce n'était pas très fort, mais parfaitement audible. Il n'y avait pas de mot pour le décrire. Peut-être une sorte de soupir, ou de râle, ou d'exclamation étouffée... Je n'aurais pas pu dire d'où venait ce son, ni ce qui l'avait causé. Mais il était si poignant, il exprimait une telle douleur, que je fus saisie de surprise et d'émotion. Je demeurai immobile, l'épée en l'air. Chalamar me regardait, étonné.

Je demandai :

— Avez-vous entendu ?

— Oui, répondit-il. Et ce n'est pas la première fois. C'est sans doute le bois de la charpente qui grince.

— Vous trouvez que cela ressemblait à un grincement ?

— Pas du tout. Mais nous sommes sous les toits et c'est la première idée qui m'est venue.

Dans un angle du grenier, de vieux meubles étaient accumulés. Aucun de nous ne s'était jamais intéressé de près à ce bric-à-brac. Pour une fois, je le regardai avec un peu d'attention.

— N'avez-vous pas l'impression que ce bruit est venu de ce coin ?

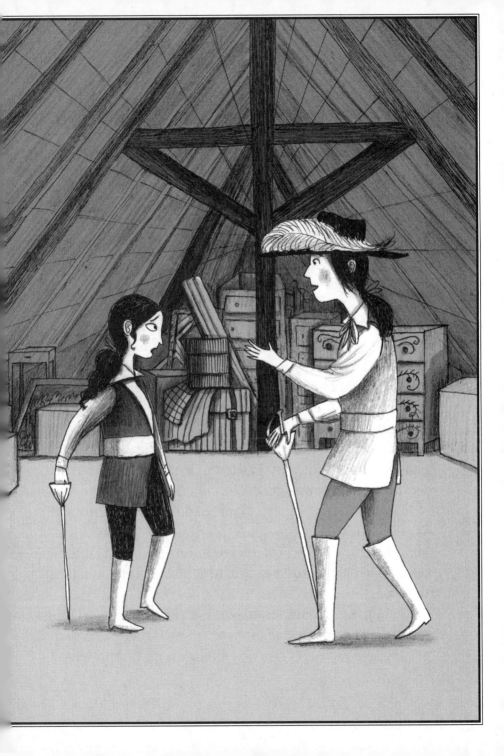

– C'est possible. Ces vieilleries doivent être des nids à souris. Il y a peut-être un loir qui gîte là-dedans, ou une chouette.

L'idée me plut. Et me rassura aussi. Car si c'était un animal qui était à l'origine de ce bruit, il n'avait plus rien de mystérieux. Une jeune chouette était peut-être coincée quelque part. Un jour, à Potimaron, j'en avais libéré une en agrandissant au couteau le trou de son arbre… Je proposai :

– Allons voir, voulez-vous ?

Il y avait une vieille commode, énorme, comme on les faisait autrefois, une douzaine d'anciennes chaises à très haut dossier et aux tapisseries trouées de toutes parts, et un guéridon boiteux assez grand pour quatre personnes.

– C'est vieux tout cela, observa Chalamar. Époque Henri II, dirais-je… C'est la sorte de meubles qu'on trouve chez mes grands-parents.

Il s'arc-bouta pour ouvrir les tiroirs. Je déplaçai les chaises. Il n'y avait rien. Pas trace de loir, ni de chouette. Pas même une souris grise. Non. Rien.

Il y avait encore un vieux tableau posé sur le sol, tourné vers le mur, tellement noirci par le temps qu'on distinguait à peine l'image. Un ancien miroir en argent, si terni qu'il ne reflétait plus rien. Et une série de vieux cadres dédorés.

Chalamar, curieux, transporta le tableau près d'une fenêtre. Mais, même à la lumière, on ne voyait pas grand-chose. Tout ce qu'on pouvait dire, c'est qu'il représentait deux personnages ; l'un, au centre, semblait le sujet principal ; l'autre, sur le côté, un peu en retrait, n'était plus qu'une silhouette. On ne distinguait plus rien du détail des visages. Mais, ce qui était surprenant, c'était la signature du peintre dans le bas du tableau. Elle s'était conservée nette et brillante comme au premier jour. Elle était rouge écarlate. On pouvait lire sans aucune difficulté : *Bérégise d'Antioche.*

— Est-ce un peintre connu ? demandai-je.

— Jamais entendu parler... dit Chalamar. En tout cas, il ne voulait pas qu'on oublie son nom : il a utilisé sa meilleure peinture pour sa signature. Il aurait dû en prendre de semblables pour le reste du tableau.

Depuis l'autre extrémité du grenier, Saint-Aubin nous appelait :

— Avez-vous fini de vous couvrir de poussière à remuer ces vieilleries ? Alors, l'avez-vous trouvé, ce loir ?

Il avait raison. L'après-midi avançait. Bientôt, Mme de Soulencourt et M. de Montausier allaient refaire surface. Il était temps pour nous d'en faire autant.

— Rien du tout. Il se cache bien, le malin... répondit Chalamar en reportant le tableau à sa place.

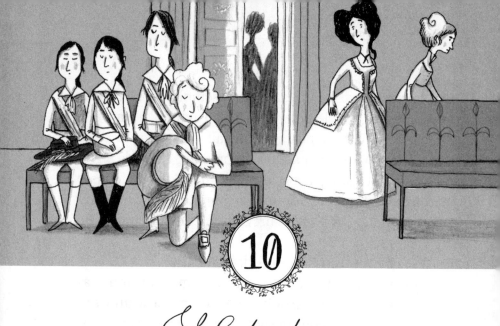

10

ℒe bonheur
À L'AUBE

Le lendemain matin, en entrant dans la chapelle, ma maîtresse Marie-Louise eut l'une de ces surprises qui sont si belles parce qu'on ne les attend aucunement. Son cousin Louis, le Dauphin, était là.

Déjà à sa place, face à l'autel, le chapeau à la main, le visage grave comme il convient à l'église, mais – sans doute parce que je commençais à bien le connaître – je devinai l'intense bonheur qu'il ressentait à faire une bonne surprise à Marie-Louise.

Il avait avec lui les quatre amis qui étaient aussi les miens, trois autres jeunes gens que je ne connaissais pas, et l'inévitable duc de Montausier. Oui, quand le Grand

Dauphin se déplaçait officiellement, cela remuait du monde. Mon plan avait marché ! Louis avait pris sur lui de désorganiser l'immuable étiquette de Versailles. Je ne pus contenir un joyeux sourire que je cachai en joignant les mains et en baissant la tête avec piété.

Louis se tourna vers sa cousine et la salua. Un salut sans sourire, sans croiser son regard, un geste de politesse… C'était parfait. On aurait réellement pu croire que cette rencontre n'était qu'un hasard. Mais Marie-Louise fut moins maîtresse d'elle-même car, en apercevant Louis, elle se troubla au point que je le remarquai. Son pied heurta une dalle du pavement et elle trébucha. Par chance, elle rattrapa son équilibre et l'endroit où elle se trouvait à cet instant était un peu sombre. Je vérifiai rapidement l'attitude de ses voisins : personne ne semblait avoir compris la raison de ce faux pas… Marie-Louise joignit les mains devant son visage – comme moi ! même idée, même subterfuge… – et s'inclina devant l'autel. Quand elle se redressa, elle avait retrouvé son impassibilité.

Pendant les trente-cinq minutes qui suivirent, j'admirai le sang-froid de mes amoureux. Ils paraissaient absolument calmes et attentifs à l'office. Et pourtant, je savais quel typhon de sentiments devait tourbillonner dans leurs âmes. Pas une fois, malgré tout leur désir, ils ne tournèrent la tête l'un vers l'autre.

Dans cette Cour, ma place de fille d'honneur débutante était située tout en bas de l'échelle de l'importance. On s'occupait donc très peu de moi, ce qui me donnait beaucoup de tranquillité pour m'occuper des autres. C'était moi qui avais créé cette situation, c'était donc à moi de veiller au grain.

Avant tout, j'orientai ma surveillance sur Soulencourt. Il fallait être très prudent avec elle, elle était loin d'être bête et elle avait l'œil à tout. Pourtant, ce jour-là, réellement, elle ne sembla pas pénétrer ce qui se passait à dix pas d'elle. Je ne surpris aucun regard en biais vers Marie-Louise ni vers le Dauphin. Pas de coup d'œil suspicieux. Non, vraiment, rien à signaler de son côté...

J'observai aussi avec soin le duc de Montausier que je n'avais encore jamais vu de si près. Le maître mouchard, le champion des rapporteurs, l'as des moutons, ce qui constituait une sorte d'exploit dans cette Cour où la médisance était un sport national. Eh bien, il avait l'air de très mauvaise humeur. « Quelle sottise de se lever si tôt pour se rendre à une messe minable, alors qu'il est si simple d'attendre celle de onze heures où l'on a le plaisir de voir le Roi et de se trouver dans la meilleure compagnie de la Cour ! » semblait dire son visage grincheux. Uniquement occupé de sa contrariété, lui non plus ne se doutait de rien. Excellent !

Au moment de la sortie, alors que chacun quittait sa place, Louis et Marie-Louise échangèrent un rapide regard, bref et intense comme un rayon de soleil entre deux nuages.

Les jours qui suivirent furent certainement très heureux pour Louis de France et Marie-Louise d'Orléans. Chaque matin, pendant une demi-heure, dans la paix de l'aube, dans le parfum de l'encens, sous les taches de couleurs qui tombaient des vitraux éclairés par le soleil levant, ils éprouvaient le bonheur d'être ensemble.

J'admirais leur maîtrise d'eux-mêmes. Jamais ils ne laissèrent paraître un signe de leur amour. Je songeais que depuis leur plus jeune âge, ils se trouvaient en permanence sous les regards d'adultes dont la principale mission était de les surveiller : gouverneurs, gouvernantes, dames d'honneur, courtisans et espions de tout poil. D'où leur science immense à ne rien montrer de ce qui se passait dans leur âme. Moi, j'avais vécu le contraire. Mon père m'avait toujours encouragée à faire connaître tout ce qui me passait par l'esprit.

En récompense de leur prudence, ils parvenaient à voler quelques instants au temps. De courts regards échangés. Le moment de la communion qui leur permettait de se rapprocher assez pour que leurs coudes s'effleurent. Et cette pensée commune qui flottait entre eux : « Je suis là pour toi et je ne pense qu'à toi. »

Jour après jour, le miracle semblait se poursuivre du côté de Soulencourt. Mieux, même : elle s'était habituée à la présence du Dauphin. Louis, subtil, la saluait régulièrement et elle en était ravie. Eh bien oui, une véritable courtisane ne peut que se réjouir que le futur roi de France semble s'intéresser à son existence !

Quant au duc de Montausier, carrément, il ne venait plus. Au bout de deux jours, il avait pris le premier prétexte à sa portée, son mal au dos ou sa goutte, je ne sais plus et cela n'avait d'ailleurs aucune d'importance, pour rester au lit. Il avait dépêché à sa place un jeune écuyer qui de toute évidence s'ennuyait à cent sous de l'heure et n'attendait qu'une chose : que cette messe se termine.

Ce furent vraiment de beaux moments.

Dans la paix de notre chambre, Gaétane et moi pouvions parler tranquillement. Moins obtuse que Soulencourt, elle avait tout compris au premier regard. Et, sensible comme elle l'était, ma musicienne percevait entièrement le bonheur de notre chère Marie-Louise.

— Ils ont le droit d'être heureux, dis-je un jour.

Je tenais Ti-Tancrède contre mon épaule et le caressais. Mon lapin était ce jour-là d'humeur sociable. Sans doute parce que je l'avais surnourri d'avoine de la plus belle qualité, volée dans l'écurie royale. Gaétane, assise sur son lit, songeuse, jouait et rejouait tout doucement sur sa guitare une gamme en la mineur, jolie et mélancolique comme ce jour de début du printemps.

— Ils ont le droit d'être heureux si le Roi y consent, dit-elle enfin. Ils le savent et c'est pour cela qu'ils gardent si fort leur secret.

11

Monsieur

MON FILS

Un après-midi qui suivait l'une de ces belles matinées, nous étions réunis dans le grenier du Château-vieux. Seuls, le Dauphin et Chalamar n'étaient pas encore arrivés. Chalamar arriva seul.

– Monseigneur sera retardé, nous dit-il. Le Roi l'a fait prier de venir le voir.

Le Roi ?

Il était naturel que le Roi souhaite voir son fils, mais je ressentis immédiatement de l'inquiétude. Le Roi était… comment dire ? Le Roi était monstrueusement intimidant. Et toute intrusion du monde des adultes et de l'autorité dans le nôtre représentait une menace.

J'avais hâte que Louis arrive enfin... J'essayai de me rassurer en m'inventant des explications. Ce n'était rien, le Roi l'entretenait sans doute seulement de la réception prochaine d'une ambassade des Turcs ou des Polonais, à laquelle, lui, le Dauphin, devrait être présent...

Le roi Louis XIV et son fils le Grand Dauphin ne se parlaient pas souvent en particulier.

– Comment vous portez-vous, Monsieur mon fils ? Je suis aise de vous voir.

– Fort bien, Sire. Je remercie Votre Majesté.

– Louis, je ne vous vois plus à la messe. Que se passe-t-il ?

– Sire, Votre Majesté ignore-t-elle que je me rends chaque jour à la messe du matin ?

– J'ai en effet appris cela. Pourquoi ce changement, mon fils ?

Louis avait sa réponse prête, mais, face à l'écrasant Roi-Soleil, elle lui sembla soudain très chétive, fragile et prête à être balayée par un simple geste de la main du Roi.

– Sire, il y a foule à la chapelle à onze heures. Mon âme s'ouvre mieux à la prière dans la paix du matin.

– C'est une excellente raison que je comprends à merveille. Moi aussi, si j'étais une personne ordinaire, je choisirais d'aller à l'église tranquillement. Mais nous ne sommes pas des personnes ordinaires, Louis.

Louis ne répondit rien. Il savait depuis le début que si son père avait décidé que cette nouvelle façon de faire ne lui plaisait pas, lui, Louis, n'aurait rien à dire.

— Cette affluence dont vous vous plaignez, continua le Roi, tous ces gens, pourquoi croyez-vous qu'ils sont là ?

— Pour prier Dieu, Sire.

— Non. Pour être vus de moi, de vous, et de toute la famille royale. C'est une forme d'hommage. Nous devons répondre à leur attente.

— Sire, je suis mal Votre Majesté…

— Si vous cessez de vous rendre à la messe où toute la Cour va, les gens vont penser que vous n'attachez pas d'importance à leur présence. Et pis : ils penseront qu'il existe un désaccord entre vous et moi, et que par votre absence vous le proclamez. Immédiatement, il en naîtra des calculs, des manœuvres, des manigances… On se demandera s'il vaut mieux être de votre côté – le pouvoir de demain ! – ou du mien – le pouvoir d'aujourd'hui ! La France a beaucoup souffert de situations troubles comme celles-là dans le passé, Louis, et, cela, nous ne devons plus jamais le permettre. Le bien du Royaume nous impose de toujours présenter un front uni aux Français, de même qu'aux autres pays. C'est notre devoir. Un devoir parfois contraignant, certes, mais quel devoir ne l'est pas ?

— Je comprends, Sire.

— Je n'en attendais pas moins de vous, Louis. Vous serez donc demain à la messe à onze heures ?

Louis hésita. Il avait conscience qu'attirer l'attention du Roi sur *Mademoiselle* était une imprudence, mais Marie-Louise était si présente dans sa pensée à cet instant-là qu'il ne put se réprimer.

Il pensait beaucoup plus à la souffrance de Marie-Louise qu'à la sienne.

– Vous désirez poser une question, Louis... observa le Roi. Je vous écoute.

– Puisque Votre Majesté le permet, je demanderais pourquoi Votre Majesté autorise ma cousine d'Orléans, qui est la première princesse du sang, à se rendre à la messe de son côté ?

– Votre cousine est un cas particulier. Elle ne supporte aucun ordre. Il n'y aurait que des inconvénients à la contraindre.

« Parce que moi, pensa Louis, il n'y a pas d'inconvénient à me contraindre ? » Mais il se contenta de faire observer :

– Ma cousine est pourtant très douce.

– Tant qu'on ne la brusque pas. Croyez-moi, Louis, je connais ce caractère, c'est celui de sa mère, il est fait d'un métal particulier... En outre, elle ne m'aime pas. Il n'est donc pas mauvais qu'elle se tienne un peu à l'écart. Au demeurant sa conduite est irréprochable. Tout va donc très bien.

– Elle... ne... Votre Majesté ?

C'était la première fois que Louis, élevé dans la ferveur – on pourrait presque dire : l'adoration – qui entourait Louis XIV à Versailles concevait une idée aussi déroutante que celle qu'on puisse ne pas aimer le Roi.

– Non, fit sèchement Louis XIV. C'est une histoire ancienne. Il ne sied plus d'en parler. Je vous verrai donc demain à onze heures à la messe, Louis ?

« Une histoire ancienne ? pensa fugitivement Louis. Pas plus vieille que quinze ans, en tout cas… »

Son bonheur et celui de Marie-Louise étaient piétinés, écrasés, broyés par le bon plaisir du Roi-Soleil. Et il allait repartir, docile, humilié et vaincu. Il n'aurait même pas essayé de résister…

Mais, soudain, l'une des paroles que le Roi avait prononcées le frappa comme un trait : *sa conduite est irréprochable…* Le Roi ne soupçonnait rien de leur amour ! S'il avait su, il n'aurait pas utilisé ce mot… Tomber amoureuse de son cousin en secret n'était pas irréprochable, c'était au contraire une dangereuse marque d'indépendance… Le Roi ne savait rien et c'était en quelque sorte un miracle, rien n'était perdu… Il fallait céder tout de suite, feindre de n'attacher que peu d'importance à cette histoire de messe, se garder de jamais parler à nouveau de Marie-Louise, et, dès que possible, trouver un autre endroit pour se rencontrer en secret !

Une soudaine expression d'énergie et de résolution passa sur le visage du Dauphin. Une expression que le Roi, à qui rien n'échappait, remarqua. Il s'interrogea un instant sur la raison de cet air décidé, mais, ne trouvant pas d'explication immédiate, il l'attribua à la force de persuasion de son discours.

Le Dauphin répondit enfin à la question qu'on lui posait :

– Oui, Sire. J'y serai.

– C'est bien, Louis, conclut le Roi. Vous êtes un garçon intelligent, ce que je savais. Je suis content de vous.

La porte de notre grenier était toujours gonflée par l'humidité, il fallait la secouer d'une certaine façon et pousser d'un coup pour l'ouvrir. Il y avait un tour de main à acquérir.

De l'autre côté de cette porte, j'entendis les pas de Louis qui montait l'escalier de bois. Enfin ! nous allions savoir ce que lui voulait le Roi... Mais, au moment où il pénétrait dans la pièce – il avait à peine fait deux ou trois pas dans le grenier – j'entendis à nouveau ce soupir douloureux qui m'avait si fort impressionnée quelques jours plus tôt.

Ma première pensée fut : « Cette fois, mon loir est là ! » Oui, car j'avais plus ou moins décidé que l'habitant clandestin du grenier était un loir. Cela me paraissait vraisemblable : les loirs sont des animaux rusés et débrouillards, et ils aiment bien s'installer dans les greniers et les remises. Mon premier mouvement fut d'aller tout droit au bric-à-brac de vieux meubles pour tâcher d'apercevoir notre locataire sans-gêne. Mais, je n'avais pas encore fait un pas dans cette direction que j'entendis clairement ces mots : « Ah ! méchant... », puis encore quelques syllabes que je distinguai mal.

Ma stupeur fut intense. Ça, il n'y avait aucun doute : ce n'était pas un loir qui venait de parler comme cela ! Et j'étais sûre, mais sûre au dernier point, d'avoir entendu précisément ces mots : « Ah ! méchant... »

Mais que se passait-il donc, ici ? J'entendais des voix maintenant ? Ou un fantôme qui hanterait ce grenier ?

J'étais sur le point d'alerter les autres, de leur raconter

ce qu'il venait de m'arriver, de leur demander de chercher avec moi une explication... Mais ils entouraient tous le Dauphin et ils semblaient préoccupés par une situation à laquelle, distraite par mes mirages sonores, je n'avais pas pris garde.

Je regardai Louis. J'aperçus alors son air fermé et son expression de défi. Mort féroce de Belzébuth et de tous les diables ! les choses allaient mal... J'avais eu raison de redouter cette entrevue avec le Roi.

– Nous n'irons plus à la messe du matin, dit Louis, visiblement sans désir d'entrer plus avant dans les détails. Sa Majesté ne le souhaite pas.

Notre consternation fut totale. Nous savions tous ce que représentait ce moment, chaque jour, pour Louis et Marie-Louise. Mais la plus navrée, ce fut moi, car c'était mon idée, au départ. Et voilà ! ma lumineuse invention partait en déconfiture... Gaétane avait vu juste. Et en fait, peut-être avais-je eu tort de l'avoir cette idée, car maintenant ils allaient souffrir davantage d'être séparés...

Mais le Dauphin ne semblait pas avoir le désir de s'apitoyer plus longtemps sur son sort.

– Chalamar, demanda-t-il, voulez-vous faire des armes contre moi ?

Il ôta son habit et l'envoya promener à dix pas. Il tira son épée et commença sans attendre une série de rapides pliés sur les jambes. Chalamar s'empressa de le rejoindre. Louis avait raison : faire travailler ses muscles, transpirer et se concentrer sur le jeu de l'épée était la meilleure chose à faire pour calmer sa colère et sa déception, et retrouver ainsi des idées claires. Je regardai leur assaut. Louis était vraiment un très bon escrimeur ; sans fanfaronnade, sans affectation, mais toujours en avance dans sa tête d'une passe ou d'une action.

Avec cela, nous n'avions plus beaucoup de temps. Le Roi, outre la messe du matin, nous avait volé notre réunion. Au moment de redescendre dans le monde de Versailles, Louis me prit à part, ce à quoi je m'attendais.

– Eulalie, demanda-t-il à mi-voix, voudrez-vous prévenir *Mademoiselle* de ce qui est arrivé ?

– Bien entendu, Monseigneur.

– Surtout, dites-lui que je n'y suis pour rien.

– Je le ferai.

Je pensai aussitôt qu'elle n'aurait pas besoin qu'on le lui dise.

– Recommandez-lui de ne marquer aucune déception ni découragement, continua le Dauphin. Qu'elle fasse comme s'il ne s'était rien passé ! Mais dites-lui aussi que dans quatre jours, samedi donc, je viendrai rendre visite à sa belle-mère, *Madame*.

Pour la première fois depuis son entrevue avec son père, je vis briller quelque chose comme de la gaieté dans l'œil de Louis. Mon guerrier n'était pas vaincu ! Il avait déjà réfléchi à un plan de secours. Samedi, le Roi devait aller avec la Cour visiter le chantier de son futur château de Marly. *Madame* n'irait pas car elle s'était foulé la cheville en tombant de cheval. Marie-Louise non plus, car elle n'accompagnait la Cour que lorsqu'elle ne pouvait faire autrement. C'était donc un après-midi bien tranquille qui se préparait. Et *Madame*, la belle-mère de *Mademoiselle*, la princesse allemande de Versailles, était une personne que je trouvais infiniment sympathique. Franche, drôle, ennemie déclarée des hypocrisies de la Cour, et aimant les animaux au point de laisser ses chiens dormir tout autour de son lit. L'idée était très bonne. Je me sentis soudain un poids en moins sur les épaules. J'aurai ainsi une nouvelle réconfortante à annoncer à Marie-Louise.

— Prenez garde, Monseigneur, fis-je observer, je crois que *Madame* est une personne très fine. Il sera peut-être difficile de lui cacher quelque chose.

— Je le sais. J'en tiendrai compte. Et j'ai l'intention de devenir son meilleur ami, voyez-vous.

12

ℒe canard

QUI CHANGE DE MARE

Je regagnai notre chambre où je rapportai à Gaétane ce qui s'était passé dans l'après-midi.

— C'était à craindre, dit-elle, le Roi ne supporte pas les décisions qui ne viennent pas de lui. Pour lui, un canard qui change de mare sans autorisation est un canard révolté. Mais, je pense comme toi que l'idée de se rencontrer chez *Madame* est bonne. *Madame* adore avoir des amis, elle accueillera le Dauphin à bras ouverts. Et qui pourra trouver quelque chose à y redire ? Le Dauphin visite sa tante, c'est tout...

Un bruit de pas claquants se fit entendre dans le couloir qui nous fit taire aussitôt. On frappa un coup rapide à notre porte, qui s'ouvrit sans attendre de réponse. Arrivée caractéristique de Soulencourt. Ti-Tancrède qui se méfiait abominablement d'elle l'entendit venir de loin et fila sous un lit avant même qu'elle touche la porte.

— Eh bien, mesdemoiselles, êtes-vous prêtes ? Mademoiselle d'Orléans vous attend, voilà assez paressé !

Paressé ? C'était elle qui venait de s'offrir deux heures de sieste... Mais, une fois levée, elle aimait bien se donner des airs suprêmement énergiques pour compenser.

— Nous sommes prêtes, madame ! répondîmes-nous dans un bel ensemble.

En effet, nous l'étions. Habillées et coiffées. Tenue de Cour impeccable.

« Tiens, oui, en effet... » sembla dire son visage. Elle nous regarda rapidement pour chercher quelque imperfection ou quelque tricherie dans nos ajustements, mais ne trouva rien.

Par habitude, elle revint sur moi, la mauvaise tête, cherchant plus attentivement quelque chose à me reprocher, mais à nouveau ne trouva rien. Eh oui ! je commençais à être capable d'une belle efficacité dans mes changements de costume et d'identité.

— Dans cinq minutes, chez *Mademoiselle* ! ordonna-t-elle en tournant les talons.

Par habitude encore une fois, j'adressai deux grimaces à son dos. Mais tout cela était très ordinaire entre nous.

— Il y a autre chose, révélai-je soudain à Gaétane : j'entends des voix.

– Je m'en doutais, mais maintenant j'en suis sûre : tu es une sainte.

– Je ne plaisante pas, c'est vrai ! Du moins, il me semble, parce que je ne comprends rien à ce qui se passe... Tu te souviens, il y a deux semaines, cette histoire de loir ?

– Oui. Et tu ne l'as jamais trouvé.

– Eh bien, tout à l'heure, il a parlé.

– Le loir ?

– Je sais maintenant que ce n'est pas un loir. Il y a quelque chose qui parle dans ce grenier.

– Et qui dit quoi ?

– Une espèce de soupir, et puis « Ah ! méchant... », ces deux mots très nettement, et puis encore quelque chose que je n'ai pas compris. Et il me semble bien que cela vient d'un tas de vieux meubles. Tu crois que je suis folle ?

– C'est possible, mais tout le monde l'est au moins un peu.

Elle médita quelques instants, puis décida :

– Ce soir, quand Soulencourt sera couchée, nous irons faire un tour dans ce grenier.

– Tu crois donc que ce que je raconte est possible ?

– C'est surtout que j'ai envie d'entendre moi aussi les voix.

Un peu avant minuit, Mme de Soulencourt revint du jeu chez le Roi. Penchée dans l'obscurité à notre fenêtre, je surveillais sa croisée. Un moment plus tard, la lumière s'éteignit derrière ses rideaux.

– C'est bon, dis-je. Encore quelques minutes et nous pourrons y aller…

Je grimpai sur une chaise pour aller chercher sur notre plus haute étagère deux tenues de garçon.

– Pendant ce temps, ajoutai-je en lançant à Gaétane du haut de mon perchoir des chausses et un pourpoint, enfile cela.

– Est-ce vraiment nécessaire ?

– Indispensable. Si on nous aperçoit, on croira voir deux pages indisciplinés, ce qui est banal, et même toléré. Si l'on voit deux filles, il y aura drame, scandale, enquête, et probablement cela arrivera aux oreilles de Soulencourt. Crois-moi, je commence à m'y connaître en déplacements illicites à Versailles.

Le grenier de la société secrète était tout aussi calme la nuit que le jour. La lumière de la lune entrait paisiblement par les fenêtres ovales. Sans aucun bruit, nous avons posé sur le sol la lanterne que Gaétane portait et nous nous sommes assises par terre, guettant tous les bruits et attendant que se reproduise le phénomène que j'avais entendu dans l'après-midi.

– On n'entend rien, finit par constater Gaétane après une demi-heure de guet.

– Non, dis-je, mais cette voix ne se fait pas entendre à chaque fois.

– C'est sans doute que nous ne sommes pas assez saintes.

– C'est sûrement la raison. Allons délivrer Orléans, et recommençons l'expérience.

– Si nous regardions ce tas de meubles qui t'intrigue ? Comme ça, après, nous pourrions aller nous coucher.

Les vieux meubles ne me semblaient rien avoir de plus remarquable la nuit que le jour. Pourtant, Gaétane, s'aidant de notre lanterne, les examina avec soin. Sans souci de se noircir, elle passa sa main dans les tiroirs, observa l'envers du dossier des chaises et le dessous du guéridon. Elle demanda soudain :

– Il me faudrait un fusain et un morceau de papier.

– Le papier, c'est facile...

J'allai chercher une feuille dans un coin du grenier où nous avions laissé quelques livres et des carnets dans lesquels Saint-Aubin notait ses vers quand il lui en venait à l'esprit.

– Voilà, dis-je, et comme fusain, est-ce que ce morceau de crayon un peu cassé convient ?

– Cela devrait aller, donne... Et tiens-moi la lanterne tout près.

Elle appliqua le papier contre la tranche d'un tiroir et, en passant méthodiquement le crayon, le noircit sur une surface d'un pouce. Elle renouvela l'opération sur l'envers du dossier d'une chaise.

– Que fais-tu ? demandai-je.

– Un frottis. Tous ces meubles ont été marqués au fer. On dirait que la marque est la même.

J'approchai la lampe et me penchai sur les espèces d'ombres que Gaétane avait relevées avec son crayon. On pouvait y voir une croix dont les branches, en haut, se

terminaient par deux boules, peut-être deux visages, je n'aurais su dire…

– Qu'est-ce que ça représente, à ton avis ?

– Aucune idée. Mais cela veut dire que ces meubles appartenaient tous à la même personne.

Elle plaça le tableau dans le rond de lumière qui entourait la lanterne. Dans la nuit, le contraste entre cette image presque effacée et la signature rutilante était encore plus frappant.

– C'est vraiment étonnant… murmura-t-elle.

Elle retourna le cadre :

– Et, lui aussi, il a cette marque… Tu crois que cela poserait un problème si je l'emportais dans notre chambre ? Il est tout noirci par le temps. Si on le nettoyait, on pourrait distinguer ce qu'il représente. Cela nous donnerait peut-être une idée, une indication, quelque chose…

– Tu sais comment on nettoie un tableau ?

– Chez moi, à Sainte-Austreberthe, la maison possède cinquante-sept pièces et chacune contient six à douze portraits de famille, la plupart vieux comme Hérode. L'entretien des tableaux, je connais. Il faut utiliser un mélange d'essence de pin de Chypre et d'huile d'amande douce.

– Je crois que nous pouvons l'emporter… Il a l'air de n'appartenir à personne. À part Chalamar et nous, on dirait que personne ne l'a retourné depuis je ne sais combien de temps… Et je préviendrai le Dauphin, c'est chez lui ici, après tout.

Quelques jours plus tard, le temps de faire acheter les ingrédients dont Gaétane avait besoin par l'intendant de *Mademoiselle*, nous nous sommes mises au travail. Gaétane me montra comment faire, et c'était plutôt un travail de patience qu'un travail compliqué. Il fallait passer très doucement avec un chiffon le mélange d'huile et d'essence sur toute la surface, puis laisser sécher pendant un jour ou deux. Et recommencer. Il apparut assez vite que le deuxième personnage, celui qui au départ était si indistinct, devait être un moine à la tête couverte par un vaste capuchon. Ce tableau représentait donc une conversation avec un moine. Peut-être une confession ? À chaque nettoyage, le chiffon ramenait un peu de ce noir qui recouvrait la peinture et la netteté s'améliorait, mais les progrès n'allaient pas vite. Et toujours cette signature écarlate, presque lumineuse…

— Cela peut prendre longtemps ? demandai-je.

— Parfois plusieurs semaines. Et parfois, les dégâts sont trop anciens, on n'arrive à rien.

Depuis notre expédition nocturne au grenier, je n'avais plus jamais entendu le soupir étrange, ni « mes voix ». Et pourtant je m'y trouvais presque tous les jours avec la société secrète du Dauphin… Une idée absurde me traversa l'esprit.

— Tu crois qu'un tableau pourrait parler ?

— En tout cas, depuis qu'il est ici, il n'a rien dit.

13

Un petit génie
MALIN

La visite de Louis chez *Madame* fut un succès. *Madame*
n'aimait rien tant que marcher dans la campagne, monter à cheval et accompagner le Roi à la chasse. Elle était
navrée de devoir rester enfermée chez elle, le pied bandé.
Le Roi avait fait prendre de ses nouvelles, mais n'était jamais venu la voir. Elle fut enchantée de cette attention de
son neveu.

— Je me sens comme un enfant turbulent mis en péni-
tence dans sa chambre, dit-elle. Je me maudis de cette
chute ridicule. Savez-vous ce qui m'est arrivé ? Ma robe
était mal arrangée sous moi et je me baisse pour la rajus-
ter ; alors que je suis dans cette posture, un lièvre part et

tout le monde se met à sa poursuite. Mon cheval, qui voit courir les autres, veut les suivre et fait un saut de côté. À moitié désarçonnée, je veux le retenir, il m'emporte et voilà la belle-sœur du Roi à plat ventre sur le gazon, le nez dans une taupinière, et une cheville si fort tordue qu'elle ressemble présentement à une aubergine !

Elle riait la première de cette histoire. C'était un bel après-midi paisible. Plus de la moitié de la Cour était absente de Versailles. On commençait à deviner que Marly serait la résidence chérie entre toutes du Roi, et aucun vrai courtisan n'aurait manqué cette visite des fondations. Des gens comme Soulencourt et Montausier seraient morts sur place plutôt que de manquer cela.

Louis était parfait. Gai, cordial, faisant la conversation avec plaisir. Marie-Louise, qui d'ordinaire s'enfuyait quand sa belle-mère recevait une visite, était là, et bien résolue à l'être ; et *Madame* éprouvait un plaisir supplémentaire à voir sa sauvage belle-fille pour une fois s'apprivoiser. Marie-Louise était assise en face de son cousin et il leur était permis de se regarder autant qu'ils le voulaient. Mais ma princesse n'en abusait pas. Elle parlait peu et gardait le plus souvent les yeux baissés. Je devinai qu'elle se méfiait d'elle-même. Sa sensibilité était si vive qu'elle craignait de laisser son excès de bonheur exploser sur son visage et ruiner en quelques instants leur secret.

Elle nous avait désignées, Gaétane et moi, pour être à ses côtés pendant ce moment. Nous étions toutes deux assises sur des tabourets bas, à sa droite et sa gauche, et fort heureuses d'être là. En temps normal, une visite du Grand Dauphin à *Madame* et *Mademoiselle* était un événement d'importance, totalement réglé par l'étiquette. C'étaient deux filles d'honneur plus vieilles et plus importantes que nous qui auraient dû se trouver aux côtés de *Mademoiselle*, première princesse du sang. Mais Soulencourt n'était pas là, tralala ! Elle jouait l'intelligente et l'admirative à Marly… Marie-Louise avait donc désigné qui elle voulait, et, qui elle voulait, justement, c'était nous ! Soulencourt, à son retour, allait faire une tête ! « Je vous assure, Altesse, que ce n'est pas un service à rendre à ces filles que de les avantager ainsi sans aucune raison. Elles n'ont déjà que trop d'inclination, particulièrement cette petite Potimaron, à se croire tout permis. » En rétorsion, elle allait sans doute doublement nous casser les pieds pendant les jours prochains. De notre côté, nous redoublerions d'airs chattemites. Rien que de très normal.

Louis et *Madame* plaisantaient et riaient, et nous riions tous avec eux. C'était comme si l'intense bonheur secret de Louis et de Marie-Louise, soufflé par un petit génie malin, s'était répandu dans toute la compagnie.

– Je vous remercie, mon neveu, pour cette charmante visite à une invalide, dit *Madame* quand Louis se prépara à prendre congé.

Le temps convenable pour une visite était passé. Je comprenais que Marie-louise éprouvait un vif chagrin que ce moment fût déjà fini. Marie-Louise ressentait les sentiments des gens ordinaires multipliés par mille. Il n'y avait pas pour elle de petite joie ou de petite tristesse. Mais, Louis avait raison. Pour conserver intacte cette opportunité de rencontre, et recommencer souvent, il fallait rester insoupçonnables. Il ne fallait laisser aucune prise aux interrogations ni aux médisances des courtisans.

Mais il avait déjà réfléchi aux jours à venir et rendez-vous fut pris pour le surlendemain à la même heure, pendant la chasse du Roi.

— Mon cheval m'a marché sur le pied et presque brisé l'orteil, prétendit Louis, je suis comme vous, ma tante, privé de chasse. Et, savez-vous ? il me vient une idée… Dans quelques jours, quand vous aurez le droit de sortir, nous pourrions aller suivre la chasse ensemble dans ma voiture…

— J'en serais ravie, mon neveu.

Tous ces messages étaient destinés à Marie-Louise. « Garde courage, tu vois que je fais tout ce que je peux pour que nous soyons bientôt encore ensemble. » Elle leva les yeux et lui adressa un lumineux regard. Un regard dont Louis capta chaque parcelle de seconde, et qui signifiait : « Je garde courage et ne pense qu'à toi. »

— Nous avons un moment devant nous, dit Gaétane. J'ai une idée.

Nous avions raccompagné Marie-Louise chez elle, son maître de dessin l'attendait, pour cela elle n'avait pas besoin de nous.

Et Soulencourt n'était pas encore de retour de Marly. En

effet, il y avait là une fenêtre de liberté d'une qualité rare à saisir.

– Où veux-tu aller ?

– Voir M. de Colbert.

J'en demeurai stupéfaite.

– Tu connais M. de Colbert ?

– C'est un ami de mes parents. Il a une maison de campagne près de Sainte-Austreberthe. Il y vient tous les étés. Il m'a recommandé de m'adresser à lui si je rencontrais quelque difficulté.

– Tu rencontres des difficultés ?

– Oui, ton tableau. Je n'aime pas rester sans comprendre. M. de Colbert connaît tout de Versailles. Il saura peut-être ce que signifie cette marque au fer.

– Et ça ne t'intimide pas de lui parler ?

– Il est très gentil, tu sais.

J'avais parfois croisé M. de Colbert dans les couloirs de Versailles. Un homme grand et froid, distant, toujours vêtu de noir. Le principal ministre de Louis XIV. Sans doute l'homme le plus puissant de France après le Roi.

– Je le trouve glaçant comme le vent du nord.

– Tu sais, ici, les airs et les postures qu'on prend en public ne correspondent pas toujours à ce qu'on est vraiment.

En effet, dans la tranquillité de son cabinet, M. de Colbert se révélait chaleureux et affable. Il nous reçut immédiatement, comme si nous étions beaucoup plus importantes que les graves affaires du royaume auxquelles il consacrait ses jours et ses nuits. Son bureau était dans un ordre parfait. Des piles de dossiers étaient proprement alignées sur des tables, tout autour de la pièce. Je remarquai qu'il aimait les beaux tableaux. Les murs étaient recouverts de grands paysages et de plusieurs portraits de lui-même. Il avait aussi un goût certain pour les pendules, j'en comptai sept, disposées sur les consoles et les cheminées. La plus belle était sur son bureau. Elle possédait plusieurs cadrans qui indiquaient l'heure qu'il était dans plusieurs endroits éloignés du monde, ainsi que la position de la lune et des étoiles. Les parois en étaient transparentes, et je compris qu'elle était placée là autant pour que M. Colbert puisse en contempler amoureusement le mécanisme à tout moment que pour savoir l'heure qu'il était en Chine ou aux Amériques.

– Gaétane, sourit-il, je commençais à désespérer de vous voir franchir un jour mon seuil... Comment se portent vos chers parents ?

– Fort bien, monsieur, je vous remercie. Mme Colbert se porte-t-elle bien ?

– Le mieux du monde. Serais-je assez heureux pour que vous ayez quelque chose à me demander ?

– Une bagatelle, monsieur, presque un caprice, qui me rend confuse de vous déranger pour si peu de chose... Vous savez que j'ai la passion des vieux meubles et de leur histoire. Plusieurs meubles de ma chambre portent cette marque, et j'essaie de retrouver leur origine. Et comme vous savez tout de Versailles...

— C'est en effet une histoire souvent passionnante que celle des objets, ils vivent parfois plus longtemps que nous, ils ont leur existence, leur destin... Montrez-moi cette marque...

Il sortit un lorgnon et se pencha sur le dessin que Gaétane avait fait d'après nos frottis.

— Non... dit-il enfin. Non, je ne saurais dire... Mais, contrairement à ce que vous avez la gentillesse de croire, mes connaissances dans ce domaine ne vont guère loin... Allez voir de ma part M. Pichard, le conservateur du garde-meuble, et montrez-lui ce dessin. Surtout ne demandez rien au duc de Saint-Cucuphat, le Grand Maître du garde-meuble, sa place n'est qu'honorifique, il ne saurait pas distinguer un fauteuil à bras d'un tabouret. Mais, vous le verrez, M. Pichard est une encyclopédie vivante !

M. Pichard ne devait pas avoir loin de quatre-vingts ans. Il était tout petit, un peu cassé par les années, mais gai et sautillant comme un écolier. Il n'hésita pas un instant devant le dessin que lui présenta Gaétane.

— Ce sont les armes des Gondi, dit-il, voyez : deux masses d'armes croisées en sautoir, liées par le manche...

Ah, oui, en effet... La croix, c'étaient les deux manches, et les espèces de sphères que nous avions prises pour des visages étaient les masses proprement dites.

— Qui sont les Gondi ? demandai-je.

— Les Gondi ? Ah ! Mademoiselle, c'était une très grande

famille de notre noblesse. Le père, Albert de Gondi, a servi fidèlement les rois Henri II, Henri III et Henri IV. Et, croyez-moi, c'était une chose fort rare à l'époque car c'était le temps des guerres civiles et de religion, et l'on trahissait comme on respirait. Et le fils, Philippe-Emmanuel, a servi le roi Louis XIII en tant que général des galères.

– Mais, comment leurs meubles peuvent-ils se retrouver aujourd'hui à Versailles ?

– Il n'y a rien d'étonnant à cela : le terrain où se trouve aujourd'hui le palais leur appartenait. Ils avaient ici une demeure de plaisance. Le roi Louis XIII qui aimait beaucoup cet endroit racheta leur domaine. Et il s'y fit bâtir un château, qui est aujourd'hui le Château-vieux, la partie centrale du palais. Il faut savoir que le roi Louis XIII ne jetait jamais rien, il a fait mettre de côté les objets que les Gondi n'avaient pas voulu emporter. C'est ainsi que certains de leurs meubles se sont retrouvés dans l'aménagement du Château-vieux, et il faut croire qu'ils ont continué leur migration puisque vous en avez aujourd'hui dans votre chambre, dans l'aile du midi… Voulez-vous que je passe les voir ? En cherchant bien, on doit pouvoir les retrouver quelque part dans mes inventaires.

– Surtout, ne vous dérangez pas, monsieur, dis-je avec un peu de précipitation. Il ne s'agit que d'une vieille chaise fort usée et d'un vieux tableau tout effacé. Nous ne voudrions pas vous déranger. C'est ce curieux dessin qui nous a interpellées et vous avez amplement répondu à notre curiosité.

— Le domaine entier de Versailles leur appartenait ? demanda Gaétane.

— Oh ! pas seulement Versailles… Ils avaient aussi des biens à Noisy, à Saint-Cloud, à Surênes… Il faut se souvenir qu'à cette époque, les rois avaient deux résidences principales d'importance équivalente, le Louvre à Paris et le château de Saint-Germain, et qu'ils allaient sans cesse de l'une à l'autre. Et Albert de Gondi voulait disposer d'assez de maisons lui appartenant entre Paris et Saint-Germain pour pouvoir se rendre quelle que soit l'heure à un appel du roi. Bel exemple de conscience dans le service, n'est-ce pas ?

— Pourquoi n'as-tu pas voulu qu'il vienne voir le tableau ? demanda Gaétane quand nous eûmes remercié l'excellent M. Pichard et pris congé, il aurait peut-être tout compris…

— Peut-être, mais le tableau n'est plus chez nous, il est au grenier ! Et les chaises Henri II, aussi. Elles pèsent chacune autant qu'un âne mort ; s'il fallait en descendre une en catastrophe dans notre chambre, je ne vois pas comment cela pourrait échapper à Soulencourt… Et le grenier, c'est le siège de la société secrète. Je ne veux y introduire personne sans la permission du Dauphin.

— Tu as sans doute raison…

— Cela te dit quelque chose, à toi, les Gondi ?

— Rien du tout.

14

« *Que*

T'AVAIS-JE FAIT ?... »

En effet, le tableau ne se trouvait plus dans notre chambre. Je l'avais remonté au grenier, où je poursuivais mes travaux de rénovation. C'était plus prudent. L'odeur de l'essence de pin de Chypre avait plus d'une fois fait froncer le nez et les sourcils de Soulencourt. « Qu'est-ce que ces têtes folles ont encore pu inventer ? »

À force de patience, j'avais assez bien dégagé le visage du personnage principal. C'était un homme de trente à quarante ans, au beau visage, aux yeux noirs et aux traits fins. Il portait une mince moustache et une pointe de barbe. J'avais même réussi à faire reparaître une perle pendue à son oreille gauche. Il était vêtu d'une chemise blanche au col rabattu, et d'un habit qui devait être une robe de chambre. La tête un peu inclinée, il semblait écouter ce que lui disait l'autre personnage, le moine à capuchon. Mais de ce personnage-là, je n'avais rien pu révéler. Malgré des passages et des passages du chiffon imbibé d'essence de pin de Chypre, son visage était resté indistinct comme au premier jour. Je me demandais même maintenant s'il ne s'agissait pas d'une intention du peintre : peut-être avait-il volontairement dissimulé le visage de ce moine dans l'ombre du capuchon... Et, pour ce qui était du peintre lui-même, je n'avais rien trouvé à son sujet.

Des peintres, il y en avait partout ces temps-ci à Versailles. Les équipes de M. Le Brun peignaient les plafonds des Grands Appartements. J'avais posé la question à au moins six d'entre eux. Mais, non, Bérégise d'Antioche, ils n'avaient jamais entendu ce nom... Le moins qu'on pouvait dire était que Bérégise d'Antioche, malgré sa signature rutilante, n'était pas un artiste connu... Autre chose, je n'avais plus jamais entendu mes voix.

— Eh bien, Eulalie, vos recherches sur ce tableau avancent-elles ?

Ce jour-là, j'étais arrivée la première au rendez-vous, Soulencourt recevait la visite de quelqu'un de sa famille, elle avait disparu de la circulation plus tôt que de coutume. En attendant mes acolytes je contemplais une fois de plus ce tableau comme si, à force de le regarder, j'allais soudain le comprendre.

Je n'avais pas entendu le Dauphin entrer. Il était rare qu'il arrive le premier. Il était détendu et l'esprit sans nuage, ayant eu la veille le plaisir d'une bonne et longue visite à *Madame* et Marie-Louise. Décidément, ses idées en organisation d'histoires d'amour étaient meilleures que les miennes.

Je lui souris :

— Assez peu, Monseigneur. J'ai seulement appris que ce tableau a appartenu à la famille de Gondi.

Moins ignorant que moi en histoire de France, ce nom ne le surprit pas. Il considéra le tableau.

— C'est le roi Henri III, dit-il soudain. Cela ne fait aucun doute. Il y a l'un de ses portraits dans le cabinet de mon père, et j'en connais plusieurs autres à Chambord… Mais, ce moine… ce qui est surprenant…

— Quoi donc, Monseigneur ?

— Henri III se trouvait bien chez les Gondi le jour où…

Louis finissait exactement de prononcer ces mots quand, contre toute logique, contre toute raison, contre tout entendement, mais pourtant la chose se fit sous nos yeux : l'image du tableau se modifia. Le moine sans visage tenait soudain un couteau à la main, avec lequel il frappait le flanc du roi. Le visage du roi Henri III, l'espace d'un instant, avait pris une expression de douleur et d'infini désespoir. Et nous entendîmes ce soupir de détresse que j'avais déjà entendu deux fois, et cette phrase que j'entendais pour la première fois dans son entier : « Ah ! méchant, que t'avais-je fait ?… »

– Grand Dieu ! murmura Louis, c'est l'assassinat du roi Henri III par le moine Jacques Clément.

– Est-ce que nous sommes devenus fous, Monseigneur ? articulai-je quand j'eus retrouvé la faculté de parler.

Le tableau était redevenu ce qu'il était avant, l'image que je connaissais dans tous ses détails à force d'y avoir travaillé. Comme si rien de ce que nous avions vu n'était arrivé.

– Non, répondit Louis d'une façon nette. Il est hautement improbable que nous soyons tombés dans la démence, vous et moi, précisément au même moment. Et même si nous sommes l'un et l'autre fous, il est impossible que nous ayons eu la même hallucination tous les deux au même instant. Si nous avons, vous et moi, vu ce que nous avons vu, aussi invraisemblable que cela paraisse, cela a bien eu lieu. Aviez-vous déjà été témoin de cela ?

– Jamais. Mais j'ai déjà entendu le soupir, souvenez-vous, Monseigneur, j'en ai même parlé à Chalamar et nous avons cherché ensemble un animal ou un oiseau… Et j'ai entendu une fois ces mots : « Ah ! méchant… », mais il est vrai qu'à cet instant-là je ne regardais pas le tableau.

– Se passait-il quelque chose de particulier dans ces moments ?

– Je n'ai jamais compris ce qui déclenchait ces sons étranges.

– Et cette singulière signature… Avez-vous une idée de qui peut être ce Bérégise d'Antioche ?

– Non, Monseigneur. Aucun des peintres de M. Le Brun n'a jamais ouï ce nom.

Le Dauphin se tut. Puis, comme s'il cherchait à mettre de l'ordre dans ces événements extraordinaires, il reprit plus lentement :

– Le roi Henri III se trouvait dans la villa des Gondi, sur les coteaux de la Seine, entre Saint-Cloud et Surênes, le jour où il fut assassiné... C'était en été de 1589, la guerre civile tournait à son avantage, il s'était officiellement allié avec son cousin, le protestant Henri de Navarre, ce qui lui valait la haine des catholiques les plus acharnés. Jacques Clément trompa toutes les surveillances et obtint l'autorisation de parler à l'oreille du roi, prétendant avoir un message à lui délivrer, un message si secret que le roi seul pouvait l'entendre. Et il arriva ce que nous venons de voir... Pourquoi les Gondi ont-ils fait peindre cette scène – disons « magique », puisque nous ne comprenons pas comment se produit ce phénomène – et cela pour l'oublier ensuite au rebut parmi des vieilleries dont plus personne ne voulait ?

Je ne répondis rien. Là était en effet la question. Les très nombreuses questions, même. Mais je n'avais aucun début de réponse à proposer. Et j'étais encore trop retournée par ce que j'avais vu pour faire des propositions constructives. Mon unique activité mentale se limitait à une colossale perplexité.

Des bruits de pas se firent entendre du côté de l'escalier de bois. Nos compagnons arrivaient.

— Portez ce tableau dans le fond du grenier, Eulalie, commanda le Dauphin. Et tournez-le vers le mur. Ne parlez pas à nos amis de ce que nous venons de voir. Je veux y réfléchir seul d'abord.

— Bien, Monseigneur.

Ce fut une séance entièrement consacrée aux armes.

— Nous avons grand besoin de nous entraîner, constata sobrement Louis. Au travail, messieurs !

Louis ne désirait pas parler. De plus, c'était vrai, nous n'avions pas sérieusement travaillé ces derniers jours. Et moi, dans le trouble où j'étais, rien ne pouvait mieux me convenir que m'appliquer à la quarte et la tierce. Je venais d'assister à un assassinat, tout de même ! Même en image, cela bouscule… Quand il fut l'heure de nous séparer, le Dauphin me demanda de demeurer quelques instants encore avec lui.

Cela arrivait régulièrement maintenant. Tous savaient que c'était à ce moment que Louis me communiquait les informations que je devais transmettre à Marie-Louise concernant les heures et les lieux de leurs prochaines rencontres. Il me confiait aussi de petits messages à lui remettre, joliment pliés et cachetés de cire bleu ciel. Je savais qu'il les écrivait en vers. Et je savais aussi que Marie-Louise, qui ne voulait pas donner moins qu'elle recevait, répondait de même. J'étais devenue leur factrice attitrée. Mais, ce jour-là, ce n'était pas l'amour qui préoccupait le plus le Dauphin.

— Eulalie, ne devez-vous pas aller à Paris après-demain ?

Louis savait souvent beaucoup de chose sur ce que faisaient les uns et les autres, mais, là, le renseignement n'avait rien d'exceptionnel : je l'avais dit à tout le monde.

– Oui, Monseigneur. Ma tante doit me mener essayer les robes qu'elle a commandées pour moi. Et Mme de Soulencourt a autorisé Gaétane de Sainte-Austreberthe à nous accompagner.

Je m'étais fait d'avance une joie de cette sortie : une journée de liberté hors de Versailles avec Annie et Gaétane !

– Parfait. Croyez-vous que votre tante consentira à faire un détour par une librairie que je vous indiquerai ?

– Je pense que oui, Monseigneur. Mon père et ma tante m'ont toujours témoigné la plus grande confiance.

– Vous êtes bien heureuse, Eulalie… Vous vous rendrez dans une petite librairie qui ne paye pas de mine, au coin du quai des Augustins et de la rue Gît-le-Cœur. Vous montrerez ceci au libraire, maître Dioclès…

Le Dauphin me tendit un double louis d'argent, percé de deux trous dans la diagonale.

– Il saura que c'est moi qui vous envoie… Et vous lui demanderez s'il sait qui était Bérégise d'Antioche. Si une personne sait cela, ce peut être lui… Cette signature si visible sur le tableau, elle signifie sans doute quelque chose… Si vous le pouvez – car j'imagine que votre tante y consentira difficilement – essayez d'entrer seule chez Maître Dioclès. Nous garderions mieux le secret.

– Ma tante ne dira rien si je le lui demande, Monseigneur.

– D'habitude, c'est Chalamar qui se rend pour moi chez maître Dioclès. Mais il y est allé il n'y a que quelques jours et je sais que Montausier se doute de quelque chose. Il est capable de le faire suivre la prochaine fois qu'il ira à Paris.

– M. de Montausier ne veut pas que vous achetiez de livres, Monseigneur ?

– Pas n'importe lesquels. M. de Montausier croit que c'est sa mission sacrée sur terre de m'empêcher de lire les ouvrages qu'il juge immoraux, c'est-à-dire la quasi-totalité de ce qui est écrit. Quand j'étais petit, il faisait réimprimer à mon usage personnel les pièces de Corneille, corrigées par lui-même pour en ôter tout ce qui aurait pu choquer ma jeune innocence ou susciter ma curiosité. Je crois qu'il n'a guère vu le temps passer depuis cette époque.

Rue

GÎT-LE-CŒUR

Nous avons passé la matinée chez la couturière de Mme de Montespan. Annie n'avait pas regardé à la dépense. Elle avait commandé pour moi une quantité étourdissante de robes. Robe de Cour, robe de jour, robe de promenade, robe de jardin, robe d'intérieur, robe de printemps, robe pour temps frais, costume d'amazone. Un arc-en-ciel de couleurs et de tissus. C'était fini de « faire province… ». Pour une fille d'honneur débutante, j'allais me retrouver prodigieusement équipée. Gaétane participait aux essayages et donnait gaiement son avis, tout cela sans qu'une once de dépit ou d'envie traversât jamais son esprit, elle qui ne possédait qu'une unique robe de Cour dont l'achat avait imposé des semaines d'efforts et de sacrifices à sa famille entière.

Mais j'avais déjà décidé que toute cette garde-robe, quatre fois trop abondante pour moi, serait autant à elle qu'à moi. Nous avions la même taille. Je savais : elle allait faire mille chichis, objecterait sa fierté, ne voudrait rien accepter… Mais, aha ! j'avais un argument de poids : nous avions pratiqué l'échange du sang ! Elle était désormais *obligée* de partager ce que je possédais. Ah ! elle n'avait pas songé à cela le jour où elle s'était entaillé le bras pour moi… Trop tard !

Mais avec tout cela, le vêtement qui m'aurait vraiment fait plaisir, c'était un costume neuf de garçon. J'aurais bien aimé être aussi beau que mes compagnons de la société secrète. Mes habits masculins apportés de Potimaron, indiscutablement, eux aussi « faisaient province ».

– Tu crois que ces dames sauraient aussi me faire un habit de garçon ? demandai-je bas à Annie.

– Quoi ? fit-elle. Ah ! non alors… Je croyais qu'il était bien entendu entre ton père, toi et moi, que c'en était fini des vêtements et des manières de garçon !

– Je parle juste d'un seul habit… Tu sais, cela pourrait être une sécurité. Imagine que tu sois malade, ou mon père… Avec un vêtement masculin, je peux prendre la première diligence et accourir auprès de vous… En jeune fille d'honneur, il faudrait que Soulencourt désigne quelqu'un pour me chaperonner, cela prendrait des jours…

– En voilà des idées !

– C'est normal de les avoir. Mon père est loin, je te vois rarement, les lettres sont lentes, il m'arrive de m'inquiéter pour vous.

Je connaissais son point faible : elle ne pouvait supporter l'idée que je m'inquiète pour elle ou, pis encore, pour mon père. Comme prévu, elle faiblit :

– Écoute... demande à ton père ! S'il dit oui, je consentirai aussi.

– Alors, écris-lui aussi puisque nous savons bien qu'il te demandera ton avis. Cela gagnera du temps.

Annie accepta volontiers de se rendre à la librairie de la rue Gît-le-cœur.

– Avec plaisir, déclara-t-elle, j'adore les librairies et je ne connais pas encore celle-là.

– Oui... mais il y a quelque chose de particulier aujourd'hui : il faudra que tu me permettes d'entrer seule.

– Pardon ?

– Je sais, ça te surprend, mais c'est très important. Une auguste personne m'a chargée de poser une question au libraire. Je dois juste lui rapporter la réponse et l'oublier ensuite. Personne d'autre ne doit entendre. Tu pourras entrer faire toutes les emplettes de livres que tu voudras quand j'aurai fini.

– Toi alors ! le jour où tu auras fini de me surprendre... Vous étiez au courant, Gaétane ?

– Oui, reconnut-elle.

C'était vrai. Je lui avais raconté ce que nous avions vu le

Dauphin et moi quand le tableau s'était modifié. Je sais : j'avais promis le secret à Louis... Mais Gaétane avait avec moi le lien de l'échange du sang, il n'y avait donc pas de secret entre nous. Et je savais qu'elle observerait de manière absolue le silence auquel j'étais engagée. De plus, elle avait été la première à s'impliquer dans la recherche du mystère de ce tableau.

– C'est impossible, opposa Annie, imagine qu'il t'arrive quelque chose dans cette boutique...

– Que veux-tu qu'il m'arrive dans une librairie ? Et, regarde – notre coche était arrivé sur le quai des Augustins – il y a une fenêtre à ce magasin ! Tu n'as qu'à t'y poster avec Gaétane, vous ne me quitterez pas des yeux, et, si trois brigands surgissent de derrière les étagères de livres et se jettent sur moi, je vous autorise à entrer pour me sauver. Cela va ainsi ?

Elle hésita un instant, considéra la fenêtre de la petite librairie, et se décida.

– Ça va... Sois prudente, tout de même. Peux-tu seulement me dire qui est l'auguste personne qui t'a fait cette demande ?

– Je te le dis si tu me jures de ne le répéter à personne, et que tu ne poses pas de question à ce sujet.

– C'est bon, je jure.

Je savais qu'elle disait vrai.

– C'est Monseigneur le Grand Dauphin.

– Cette fois, les bras m'en tombent...

Mon cœur battait lorsque je poussai la porte de cette librairie. Malgré les préoccupations du quotidien, depuis deux jours je vivais avec les images de ce meurtre à l'esprit. Je voyais sans cesse le beau visage d'Henri III soudain si tragiquement atteint par le désespoir. Et j'espérais intensément une réponse à cette question : « Qui était Bérégise d'Antioche ? » car il m'apparaissait maintenant, comme l'avait pressenti Louis, que cette signature rouge était la plus solide de nos pistes.

Je ne sais pourquoi, j'avais imaginé maître Dioclès comme une sorte de sorcier parmi ses grimoires ; pour un peu, je l'avais d'avance affublé d'une longue barbe et d'une robe semée de croissants de lunes. C'était un homme jeune, très grand, habillé avec recherche, les cheveux retenus en arrière sur la nuque par un nœud. Il ne regarda qu'un bref instant le double louis percé que je déposai sur son comptoir. Il ne sembla pas spécialement étonné que le Grand Dauphin lui envoie une messagère. Apparemment, les personnes, les idées et les mondes contenus dans les livres qui emplissaient son magasin étaient pour lui infiniment plus importants que l'agitation de ses contemporains.

— Que puis-je pour la personne qui vous envoie ? demanda-t-il.

— Cette personne a une question à vous poser. Elle voudrait savoir si vous savez qui était un personnage du nom de Bérégise d'Antioche, qui était probablement vivant en 1589.

— Probablement est de trop. Bérégise d'Antioche était à la fois l'astrologue et le médecin du roi Henri III de Valois.

Mon cœur battit deux fois plus vite encore. Enfin ! Enfin quelqu'un connaissait ce nom... Et enfin, certains morceaux du mystère semblaient vouloir s'assembler entre eux.

— Mons... La personne qui m'envoie voudrait savoir tout ce que vous connaissez sur ce personnage.

— C'était un homme étonnant. Il était médecin de la faculté de Montpellier, mais s'occupait aussi de botanique, d'astronomie et d'astrologie. Je sais qu'il est aussi allé étudier à Cordoue et à Fès, et sûrement à d'autres endroits encore.

— Pourquoi s'appelait-il « d'Antioche » ? Était-il né en Orient ?

— Point du tout, il était le fils d'un notaire d'Argenton-sur-Creuse. Bérégise d'Antioche était le pseudonyme sous lequel il publiait des mémoires et des essais qui fâchaient ses confrères de la Sorbonne, parce qu'il y contestait ce qu'on enseignait à la Faculté. Mais sans doute était-il passé par cette ville au cours de ses voyages.

— Et pourtant, le roi Henri III lui faisait confiance ?

— Henri III de Valois aimait les esprits curieux et les vastes intelligences. Il a rencontré Bérégise lors de son séjour à Venise et l'a ensuite toujours gardé auprès de lui. Bérégise soignait le roi et surveillait son thème astral. Henri III était un grand anxieux, il souffrait sans cesse de toutes sortes de maux, et il croyait à la destinée.

– Est-ce que Bérégise d'Antioche peignait des tableaux ?

Maître Dioclès, que rien pourtant ne semblait pouvoir surprendre, parut surpris.

– Des tableaux ? C'est possible... Je l'ignore... Pourquoi cette question ?

– Je l'ignore aussi. Elle fait partie des questions que je suis chargée de vous poser.

Le Dauphin avait oublié de me dire si j'avais le droit de parler du tableau à maître Dioclès. Dans le doute, je m'abstins.

– Savez-vous où se trouvait Bérégise d'Antioche en 1589 ?

– Vous voulez dire au moment de la mort de Henri III ? Je ne saurais vous dire avec exactitude son adresse, mais je sais qu'il ne vivait plus dans l'entourage immédiat du roi. C'était au pire moment des guerres de religion et il avait été obligé de s'éloigner de la Cour. On lui reprochait son goût pour les sciences, et aussi ses voyages en Orient... Les catholiques ne plaisantaient pas sur ces sujets, et les protestants pas davantage, c'étaient au moins des points sur lesquels ils étaient du même avis... De l'étude de l'anatomie ou des étoiles à la sorcellerie, le pas était vite franchi. On a brûlé des gens à l'époque pour moins que cela. Je sais que Bérégise rendait visite au roi pendant la nuit, et que, dans les derniers temps, ils communiquaient surtout par lettres... Euh, êtes-vous au courant, mademoiselle, qu'il y a deux personnes qui nous observent par ma fenêtre depuis que vous êtes entrée ici ?

– Oui, dis-je, elles sont chargées de ma sécurité.

Je tâchai de réfléchir vite et bien. Quelle question consé-quente étais-je en train d'oublier de poser ?

– Croyez-vous, monsieur, que Bérégise d'Antioche ait pu pratiquer la magie ?

– Tout dépend, mademoiselle, de ce que vous appelez la magie.

– Eh bien (je repris les mots utilisés par Louis deux jours plus tôt), les phénomènes extraordinaires dont nous ne pénétrons pas l'origine.

– C'est une bonne définition puisque vous laissez entendre que ces phénomènes pourraient être expliqués avec des connaissances plus complètes. Tout ce que je puis vous dire, c'est que Bérégise d'Antioche a consacré une partie de sa vie à l'étude des conjonctions astrales, et qu'il a écrit un mémoire dans lequel il soutient l'existence des médiums et des échanges spirituels.

Je ne compris rien à cette dernière phrase, ce que maître Dioclès dut saisir à mon air incertain.

– Ce qui veut dire, expliqua-t-il, qu'il pensait que certains esprits pourraient communiquer entre eux.

Je ne comprenais toujours pas très bien.

– Les esprits des gens vivants, ou des gens morts ?

– Les deux, mademoiselle.

16

Corne

DE BŒUF !

Je n'avais qu'un désir : rentrer au grand galop à Versailles et faire au Dauphin le rapport de tout ce que j'avais entendu chez Maître Dioclès. Mais, même en faisant courir les chevaux ventre à terre, il était trop tard pour rejoindre le Dauphin et ses compagnons sous les combles. Je n'avais donc pas de raison de priver Annie et Gaétane de la fin de leurs courses à Paris. Annie fit l'acquisition de trois recueils de poésie. J'insistai pour avancer à Gaétane le prix d'une partition dont elle remettait l'achat depuis des semaines. Nous choisîmes encore des gants, des boutons et des rubans.

Je dormis mal cette nuit-là. En vérité, je craignais de

m'endormir. Je caressais Ti-Tancrède qui avait choisi ce soir-là mon lit pour demeure en me répétant les mots exacts que maître Dioclès avait employés. J'avais peur de les oublier en dormant. La matinée fut interminable. Soulencourt fut soûlante. Mais à la parfin, il fût trois heures de l'après-dînée et chacun rentra dans sa chacunière. Je changeai de vêtement en envoyant voltiger mes pièces d'habits et m'envolai vers le grenier. Malheureusement, il me fallut encore attendre car Louis n'arriva pas le premier, et j'avais bien compris qu'il ne voulait pas pour l'instant révéler cette affaire à notre société dans son ensemble. Enfin, il fut l'heure de se quitter et le Dauphin me demanda de demeurer quelques instants avec lui.

Je lui fis alors le récit ce que j'avais appris dans la librairie de la rue Gît-le-cœur. J'avais eu tort de craindre que ma mémoire ne soit pas à la hauteur de ses responsabilités, les paroles de Maître Dioclès m'avaient fait une forte impression et je m'en souvenais mot pour mot. Louis m'écouta presque sans m'interrompre, se faisant seulement, ici ou là, répéter ou préciser un détail. Quand j'eus terminé, il sembla se plonger dans une profonde réflexion.

– Il ne se manifeste sûrement pas par hasard… dit-il enfin. Qu'est-ce qui le fait se déclencher ?

J'entendis que sa pensée était revenue au tableau. Il me semblait à moi que ce tableau se manifestait quand bon lui semblait. D'après Chalamar, il s'était parfois déclenché tout seul dans le fond du grenier. Nous avions attendu la moitié d'une nuit, Gaétane et moi, à le guetter sans résultat. J'avais passé des heures en sa compagnie avec mes chiffons et mon essence sans que rien ne se passe. Et il s'était révélé quelques jours plus tôt quand le Dauphin et moi le regardions, alors que rien de spécial ne semblait se produire dans la pièce ni à l'extérieur, il n'y avait pas d'orage, ni de date anniversaire particulière... L'assassinat avait eu lieu en août et nous étions en mars...

– Eulalie, dit soudain Louis, nous allons essayer quelque chose... Je vais quitter ce grenier. Je n'irai pas loin, j'attendrai en haut de l'escalier, de l'autre côté de la porte. Pendant ce temps, vous irez chercher le tableau et vous le poserez sous la fenêtre, à la lumière, là où vous étiez il y a trois jours, et vous le surveillerez avec attention. Si l'image change, appelez-moi. Si rien ne se passe, ne bougez pas et je vous rejoindrai dans dix minutes.

Je compris que Louis voulait reproduire les circonstances dans lesquelles le tableau s'était modifié trois jours plus tôt. Il sortit de la pièce et j'exécutai ses ordres. J'appuyai le tableau contre le mur, sous la fenêtre, et je m'assis sur le sol en tailleur face à lui. Je me sentais assez peu rassurée, je n'avais guère envie d'assister seule encore une fois à ce meurtre. Mais les dix minutes s'écoulèrent sans que rien n'arrive.

J'entendis derrière moi la porte s'ouvrir et Louis rentrer. Il s'assit à côté de moi. Deux ou trois minutes encore peut-être passèrent, et ce que nous attendions et redoutions à la fois se renouvela. D'instinct je saisis la main de Louis. Le couteau se trouva soudain dans la main du moine sans visage. Il y eut le soupir douloureux du roi. Son regard tragique. Et la phrase bouleversante : « Ah ! méchant, que t'avais-je fait ?… » Les larmes me montèrent aux yeux. Je n'en pouvais plus d'assister à ce drame.

– Il lui faut donc la présence de deux personnes pour se déclencher ? demandai-je, les larmes me roulant sur les joues.

– Non… dit Louis, je crois que c'est autre chose…

Il songea quelques instants, puis reprit :

– Eulalie, je vais vous demander de quitter ce lieu. Il y a quelque chose encore dont je voudrais m'assurer, et pour cela je dois être seul. Je vous demande aussi votre parole de ne révéler à personne ce que vous avez vu ici, aujourd'hui et il y a trois jours.

– Vous l'avez, Monseigneur. Ma foi de gentilhomme, ajoutai-je, ce qui me fit sourire à demi malgré ma fatigue et la tension que je ressentais.

Le Dauphin sourit aussi.

– Je m'y fie. Allez, Eulalie…

Je descendis l'escalier de bois en prenant les marches trois par trois. Je ne partais pas, je m'enfuyais. Mais je me souvins soudain que j'étais vêtue en garçon, que l'après-midi était déjà avancé, que je pouvais croiser quelqu'un et qu'il convenait de faire attention. Je ralentis avec prudence et vérifiai que la voie était libre pour rentrer chez nous… Une question m'occupait maintenant : pour quelle raison Bérégise d'Antioche et les Gondi avaient-ils jugé important de fabriquer cet étrange témoignage de l'attentat ?

Craignaient-ils qu'on l'oublie ? Ou qu'on le raconte de façon inexacte ? Qu'on cache quelque chose ? Mais, quinze
ou vingt témoins avaient été présents au moment de ce
drame, et ils avaient amplement rapporté les faits...

Notre chambre était vide. Bien sûr ! il était presque six
heures... Gaétane était allée seule prendre notre service.
Quelle excuse avait-elle pu trouver pour expliquer mon
absence ? Que dirai-je pour avoir quitté sans permission
l'appartement de *Mademoiselle* ? C'est à cet instant que je
découvris que je n'avais plus mon épée.

Dans l'état d'esprit où je me trouvais, cette découverte
prit pour moi la dimension d'une catastrophe. C'était ma
seule épée d'exercice. Si je la perdais, je n'aurais aucun
moyen de m'en procurer une autre avant de retourner à
Potimaron, Dieu savait quand. Même Annie ignorait que
je l'avais apportée avec moi à Versailles... Je devrais re-
noncer à mon travail, et aux progrès que j'avais espéré
faire auprès du Dauphin et de ses compagnons...

Je me souvenais exactement de l'endroit où je l'avais
laissée. Après l'entraînement, je l'avais posée sur le sol au
pied de la poutre centrale, sous le faîte du toit. Et quand
j'avais quitté le grenier, trop troublée, je n'y avais plus
pensé...

Ma décision fut prise en moins d'un instant, je ne voulais pas courir le risque de la perdre et je fis demi-tour. Il
y avait déjà largement plus d'une heure que j'aurais dû
être rentrée chez *Mademoiselle*, cinq minutes de plus ne
changeaient pas grand chose ; et du reste, à l'instant pré-

sent, tout ce que pourrait dire Soulencourt m'était égal. Mais, il y avait aussi que le Dauphin m'avait ordonné de quitter le grenier… Je décidai que j'entrouvrirai la porte sans bruit. Si Louis n'était plus là, je récupérerais mon épée en quelques secondes et retournerais au plus vite me rhabiller en fille, personne n'en saurait rien. Et s'il était toujours là… Eh bien, je verrais !

Je poussai la vieille porte des combles avec mille précautions, et je passai la tête. Il n'y avait personne. Louis était parti. Je vis qu'il avait laissé le tableau sous la fenêtre, mais qu'il l'avait retourné vers le mur.

Mon épée était toujours là où je l'avais laissée. Je traversai le grenier sur la pointe des pieds et me baissai pour la ramasser. Je rattachai d'un geste mon baudrier mais, alors que je serrais la boucle, j'entendis des pas sur l'escalier de bois. Quelqu'un montait ici ! Et quelqu'un qui n'était pas Louis, j'en eus la sensation immédiate.

C'était la façon de marcher d'un adulte. Non pas lourde, mais imposante. Non pas lente, mais ayant son temps. Le pas de quelqu'un qui avait le droit de se trouver ici, de poser des questions et de donner des ordres. Bref, le genre de personne que je n'avais aucun intérêt à croiser. Et, même, par qui j'avais certainement le plus vif intérêt de n'être pas aperçue… Mon premier réflexe fut d'aller me cacher dans le bric-à-brac des vieux meubles.

Mais je me souvins qu'ils étaient accumulés les uns contre les autres et que, pour m'y trouver une place, il faudrait les bouger. Je ferais inévitablement du bruit. Je n'avais plus le temps. La poutre maîtresse du grenier se trouvait devant mes yeux, un large tronc de chêne équarri à angles droits. Un peu plus haut que ma tête, deux poutres de colombage partaient en oblique à l'horizontale pour rejoindre la toiture. On pouvait y grimper comme à un arbre. J'attrapai la pièce de bois oblique à deux mains et, m'aidant des jambes contre le tronc, je m'y hissai et j'y posai le pied. Au-delà, l'escalade devenait simple. En deux ou trois pas de côté, en m'accrochant aux chevrons, je me glissai sous l'ombre du toit et ne bougeai plus.

Le visiteur qui arrivait ici n'avait pas l'habitude de notre porte déformée, toujours en partie coincée, car elle s'y prit à plusieurs fois pour parvenir à l'ouvrir. Ces quelques secondes de sursis furent un bienfait pour moi, elles me donnèrent le temps de trouver une position stable et de calmer ma respiration. La personne entra et je sus que mon impression avait été juste.

C'était un adulte à haute perruque et à la stature solennelle, sûrement quelque important personnage de la Cour... Me trouvant en situation doublement ou triplement irrégulière, j'avais bien fait de grimper là-haut. Là où je me trouvais, je ne craignais pas réellement d'être découverte. Si je ne faisais pas de bruit, et à moins qu'il ne soit monté ici spécialement pour inspecter la charpente, il n'avait pas de raison de m'apercevoir, nichée comme j'étais comme une hirondelle sous les colombages.

Il s'arrêta au milieu de la pièce, avisa le tableau posé sous la fenêtre, et marcha tout droit vers lui comme s'il

était venu ici précisément dans cette intention. Quand il se trouva face à la fenêtre, la lumière venue de l'extérieur éclaira son visage. J'éprouvai alors une stupéfaction totale : c'était le Roi. Oui, Sa Majesté Louis le Quatorzième. Seul. Ce qui était presque inimaginable à Versailles.

Il retourna le tableau, le posa sur le sol et, comme le Dauphin et moi un moment plus tôt, il attendit en le regardant. Comment avait-il su que ce tableau se trouvait là ? Il en connaissait donc le pouvoir étrange ? Mais, alors, pourquoi l'avait-il laissé si longtemps dans ce grenier ?

Le Roi demeurait immobile. Moi plus encore. Deux ou trois minutes s'écoulèrent ainsi dans le plus grand silence puis, exactement comme pour Louis et moi un peu plus tôt, le soupir douloureux se fit entendre sous les combles, ainsi que le reproche tragique : « Ah ! méchant, que t'avais-je fait ?... »

– Jésus Seigneur ! murmura le Roi. Qu'est-ce que cela ?

De toute évidence, le Roi découvrait ce tableau et il assistait à ce phénomène pour la première fois. À cet instant, la porte du grenier s'ouvrit – sans résister, c'était quelqu'un qui la connaissait bien – et je vis Louis rejoindre son père.

– M'expliquerez-vous, Louis ? demanda le Roi. Qu'est-ce que cette chose abracadabrante ? Et pourquoi avez-vous voulu que je sois seul pour la voir ?

– Parce que, Sire, je voulais savoir si ce tableau se modifierait en présence de Votre Majesté, et d'Elle seule.

Perchée dans ma charpente, je ne comprenais pas. Apparemment, Louis XIV non plus.

– Expliquez-vous, Louis, répéta-t-il.

– Sire, ce tableau est le dernier envoi de l'astrologue Bérégise d'Antioche à son maître et ami, le roi Henri III. Quelques jours avant l'attentat, Bérégise a dû avoir la vision de ce qui allait arriver et il a voulu avertir le roi afin que celui-ci ne laisse jamais le moine l'approcher. Mais on était en guerre, et Henri III était entouré d'une garde personnelle presque infranchissable. Cette garde se méfiait de ce médecin qu'on soupçonnait de pratiquer la magie et, depuis un moment déjà, Bérégise ne pouvait plus rencontrer le roi. Il n'a pas voulu non plus lui écrire, sans doute parce qu'il savait que ses lettres pouvaient être arrêtées au passage. Cela avait déjà dû arriver. Alors, il a peint ce tableau qui racontait ce qu'il avait vu en rêve – ou par je ne sais quel moyen qu'il connaissait de pénétrer l'avenir – et il l'a fait porter à la villa des Gondi, à Surênes, où résidait le roi. Il devait penser qu'un tableau, qui avait l'air d'un portrait assez banal, n'éveillerait les soupçons de personne et serait remis à Henri III. Par malheur, cela n'a sans doute pas été le cas…

Corne de bœuf ! pensai-je. Bien entendu ! Louis avait raison ! L'une des activités de Bérégise était de prévoir l'avenir ! Il avait peint ce tableau *avant* le meurtre, et non pas ensuite ! Le tableau annonçait ce qui allait arriver, pas un événement déjà accompli… C'était un avertissement et non un témoignage.

– Ceci laisse rêveur sur l'efficacité des gardes rapprochées, fit observer le Roi qui avait jusque-là écouté son fils en silence. Les gardes d'Henri III ont éloigné Bérégise, empêché le tableau qui aurait pu le sauver de lui être transmis, et finalement laissé passer Jacques Clément... Mais pourquoi, Louis, avez-vous tant insisté pour que je sois seul quand ce tableau étrange délivrerait son message ?

– C'était pour confirmer une hypothèse que j'avais faite, Sire. Ce tableau a été retrouvé par l'un de mes pages qui, par curiosité, a nettoyé la toile pour en faire reparaître l'image. Un jour que j'étais là par hasard, la voix s'est fait entendre et l'image s'est fugitivement transformée. J'ai alors retiré ce tableau à mon page et j'ai mené seul mes recherches. J'ai constaté que cette image ne révélait son secret qu'à la condition que je me trouve là. J'ai alors pensé que Bérégise d'Antioche avait inclus dans son tableau une sécurité qui ne lui permettait de délivrer son message qu'en la présence du roi de France.

C'était donc cela ! Le mystérieux facteur déclenchant que nous avions tant cherché... Je me remémorai chaque occasion où j'avais entendu « mes voix »... Mais oui : l'élément nouveau, à chaque fois, cela avait été l'arrivée de Louis... Et il se révélait que son père possédait le même pouvoir... Naturellement : Bérégise ne voulait pas que ce tableau raconte son histoire chaque fois qu'il croiserait un passant ! Et peut-être même, pensai-je encore, le tableau continuait-il presque cent ans plus tard à délivrer son message parce que sa mission première n'avait pas été remplie...

Bon, j'apprenais aussi que je n'avais été qu'un page curieux. J'avais pourtant beaucoup plus œuvré à la découverte de ce mystère que Louis ne le disait… Mais cette version avait l'immense avantage de ne pas attirer l'attention sur moi et, de fait, me convenait très bien. Et je devais reconnaître que c'était Louis seul qui avait su mettre les événements dans le bon ordre.

– Le tableau n'a pas été remis à Henri III, pourtant nous savons qu'il est arrivé jusque chez les Gondi… poursuivit Louis. On peut penser qu'il est demeuré au corps de garde, ou chez le concierge… Le malheur est arrivé. Le tableau s'est retrouvé dans quelque grenier ou quelque garde-meuble. De Surênes, il est passé dans leur maison de Versailles, puis chez mon grand-père Louis XIII. Tout le monde a oublié comment il était entré dans la maison. Et pendant tout ce temps, il a conservé intacte sa faculté de reconnaître un roi de France, ce qu'il vient de prouver en votre présence, Sire.

– Ou un Fils de France, compléta le Roi, puisque c'est à vous, le Dauphin, qu'il s'est fait connaître en premier…

Louis XIV hocha la tête, et ajouta :

– Tout cela me paraît fort justement pensé, mon fils…

– Croyez-vous, Sire, que si le tableau avait été remis à temps à Henri III, l'histoire du pays en eût été changée ?

– Non. Henri III n'avait pas d'enfant. C'était son cousin, votre arrière-grand-père, le grand Henri IV qui devait lui succéder. Ce meurtre n'a fait qu'accélérer les choses. On peut seulement penser que si la succession avait eu lieu plus tard, les choses se seraient passées plus en douceur et que de nombreuses vies auraient été épargnées. C'était sans doute ce que recherchait ce Bérégise.

– Sire, croyez-vous aux astrologues et aux gens qui voient l'avenir ?

– Un bon chrétien n'est pas censé y croire, mon fils, mais il est vrai que de troublantes coïncidences s'imposent parfois. Et je considère qu'Henri III agissait en roi pragmatique en s'informant à toutes les sources... Vous seriez étonné, Louis, si je vous révélais combien de bons chrétiens chez nous aujourd'hui consultent des voyants et des astrologues et croient dur comme fer à leurs prédictions, même parmi les gens d'Église.

– Comment le savez-vous, Sire ?

– Vous découvrirez, Louis, qu'il ne peut y avoir de bon gouvernement sans une bonne police. Et une bonne police sait ces choses-là.

– Et maintenant ? Qu'est-ce que Votre Majesté compte faire de ce tableau ?

– On peut considérer que ce tableau appartient à la correspondance secrète des rois de France, même s'il n'est jamais arrivé à son destinataire. Je vais demander à M. Colbert de le porter dans le cabinet où je serre ces sortes de documents. Accompagnez-moi, Louis, nous allons veiller à cela... Et dites-moi : qu'a exactement vu votre page ?

– Rien, Sire. Il n'a pour ainsi dire rien vu d'inhabituel. Et il n'y pense déjà plus...

17

Rendez-vous
À SAINT-CLOUD

Le Roi, en homme qui ne perdait jamais de temps quand une décision était arrêtée, retourna le tableau contre le mur et, accompagné du Dauphin, gagna la porte, qu'ils refermèrent derrière eux. Pour moi, il était temps de filer sans attendre car, sans nul doute, on allait revenir. M. de Colbert et le Roi, ou M. de Colbert seul, ou le Dauphin et M. de Colbert… Quelle que soit la combinaison, ce qui m'importait, c'était de disparaître au plus vite.

J'avais bien compris que je n'avais rien vu et ne savais plus rien de cette histoire, désormais classée « secret des rois de France ». En outre, si je tardais encore, on allait finir par s'inquiéter de moi pour de bon chez Marie-Louise et se mettre à ma recherche. Dès que le bruit de leurs pas se fut éteint dans l'escalier, je me laissai glisser en bas de mon perchoir et dévalai les deux étages pour me réfugier chez *Mademoiselle*.

J'ôtai mes vêtements de garçon. Je constatai alors qu'à ramper sous la charpente, je m'étais couverte de poussière de couleur gris sombre. J'emplis d'eau ma cuvette et, pieds nus et en chemise, j'entrepris de me laver aussi vite que possible les bras, le cou et le visage. Le souper était sûrement terminé chez Marie-Louise, la soirée devait être en train de commencer…

— Dès que je serai habillée, je les rejoindrai, expliquai-je à Ti-Tancrède qui observait avec intérêt cette toilette hyperactive. Je m'excuserai en prétendant m'être perdue dans le parc. Je dirai que j'ai cherché le château en marchant dans la mauvaise direction… Ce n'est pas une faute bien grave. Soulencourt se croira obligée de me sermonner pour mon imprudence et pour être sortie seule. Je m'excuserai avec humilité. Et Marie-Louise qui aime la forêt et la solitude dira que l'incident est clos…

J'en étais là de mes projets quand j'entendis toute une troupe en marche dans le corridor. Des frous-frous de robes, des rires de fille. On venait par ici ! Et, miséricorde ! on frappa à ma porte.

« Eulalie ! pouvons-nous entrer ? » fit la voix de *Mademoiselle*.

Le désastre s'annonçait total. Mes vêtements de garçon, mon épée et mon chapeau étaient éparpillés sur le sol. La cuvette d'eau couleur gris foncé, à elle seule, dénonçait un retour d'expédition parfaitement illicite. La promenade en forêt devenait incroyablement peu vraisemblable. Cette fois, je ne voyais guère comment m'en sortir... Pourtant mes réflexes m'étonnèrent. Je ne réfléchis à rien. Les gestes se firent presque tous seuls.

Je ramassai toute ma défroque en vrac comme on ramasse une brassée de foin, et la jetai dans le cagibi. Je vidai à la volée la cuvette d'eau grise par la fenêtre sans même vérifier que personne ne se trouvait au-dessous. Et je plongeai dans mon lit. Changement de prétexte : vêtue seulement d'une chemise, le seul mensonge possible était la maladie. Je parvins même à répondre – et là, mes capacités de dissimulation m'étonnèrent moi-même – d'une voix dolente et gentille :

– Oui, oui, entrez donc.

Marie-Louise entra sur la pointe des pieds, comme pour ne pas déranger une pauvre personne souffrante. Elle était suivie de Soulencourt, de Gaétane et de plusieurs de nos compagnes filles d'honneur. Mon lit se trouva très entouré.

– J'espère que nous ne vous réveillons pas, dit Marie-Louise. Mlle de Sainte-Austreberthe nous a prévenues que vous étiez souffrante. Comment vous sentez-vous ? Voulez-vous qu'on envoie chercher le médecin ?

Je croisai pendant un court instant le regard de Gaétane, qui ferma rapidement les yeux pour confirmer ce que venait de dire Marie-Louise et exprimer son soulagement. Ô chance ! nous avions raconté la même histoire... Pendant le trajet pour venir des appartements de *Mademoi-selle* à notre chambre, elle avait dû prier tous les saints du paradis pour me retrouver dans mon lit. Je me redressai, je ne voulais tout de même pas trop jouer la comédie et cela me gênait de raconter des histoires à quelqu'un d'aussi confiant que Marie-Louise.

– Je me sens beaucoup mieux, Votre Altesse, assurai-je. Je remercie Votre Altesse. C'était en vérité peu de chose et je crois que je serai guérie demain.

– Pourquoi ne m'avez-vous pas fait prévenir ? demanda Soulencourt avec gentillesse.

Je tournai rapidement les yeux vers elle, un peu surprise, mais, non, sa sollicitude était sincère... Les gens malades éveillaient sa compassion. Je lui souris :

– Je l'aurais bien sûr fait, madame, si je m'étais trouvée plus mal.

– En attendant, vous allez rester couchée. Et vous, Gaétane, demeurez auprès de votre compagne. Et venez me chercher si votre amie ne va pas bien.

Gaétane fit une révérence :

– Je n'y manquerai pas, madame.

Marie-Louise et sa suite parties, le calme revint dans notre chambre. Ti-Tancrède, qui avait jugé bon de demeurer enfoui sous mon édredon pendant cette visite, refit surface. Je le pris contre moi, je fermai les yeux et m'adossai à mon oreiller. Je commençais à me sentir réellement très fatiguée par tous ces événements... Gaétane, assise sur le bord de mon lit, ferma comme moi les yeux,

puis se laissa tomber couchée sur le dos en travers de mon lit. Elle aussi avait l'air au bout de ses forces.

– Tu es donc bien avec Soulencourt, maintenant ? constata-t-elle après un moment de silence.

– Une paire d'amies, ma chère, répondis-je sans ouvrir les yeux.

Après un nouveau silence, elle fit remarquer :

– Tout de même, quelle menteuse tu fais !

– Tu peux parler, observai-je.

– Où étais-tu ?

– Avec le Roi.

– Oh ?...

La surprise lui fit rouvrir les yeux et relever la tête. J'expliquai :

– Il ne savait pas que j'étais là. J'ai dû attendre qu'il s'en aille pour pouvoir revenir ici... Et ce n'est pas tout...

– Quoi donc ?

– Je sais maintenant pour le tableau... Mes voix existaient bien. Et c'est l'idée que tu as eue au départ de retracer le parcours du tableau qui a permis de tout comprendre... J'ai juré au Dauphin de ne rien dire à personne de cette histoire, mais c'est un serment qui concerne l'humanité entière sauf toi. Je vais te raconter... Mais, tu sais...

– Non, je ne sais pas...

– Si tu étais une bonne garde-malade, tu irais me chercher quelque chose à manger. J'ai manqué le souper. Je meurs à la lettre de faim.

– Je vais voir ce que je peux te trouver à l'office… Pour une malade, un bouillon et un fruit, cela ira-t-il ?

– Parfait ! Et un très gros quignon de pain, du saucisson à l'ail, de gros cornichons et du poulet. De la viande, Ventre-Saint-Gris !

Le lendemain, me sentant beaucoup mieux, je repris mon service auprès de *Mademoiselle*. La soirée était spéciale, le chirurgien de *Madame* l'avait autorisée à recommencer à marcher à condition de s'aider d'une canne. Elle souhaita fêter sa liberté retrouvée en allant le soir au jeu chez le Roi. Marie-Louise, pour lui faire plaisir, l'accompagna. Et – quelle coïncidence ! – il se trouva que le Dauphin était là lui aussi.

– Ah, mon cher neveu ! s'exclama *Madame* en apercevant Louis, savez-vous que le Roi a la bonté de me permettre d'aller faire ma convalescence chez moi à Saint-Cloud ?

– Je m'en félicite pour vous, mais vous allez nous manquer, *Madame*, répondit Louis. M'autoriserez-vous à vous rendre visite pour compenser votre absence ?

– Je n'aurais pas osé vous le demander de peur de vous ennuyer, Louis, mais vous savez à quel point nous aimons toutes vos visites.

– Eh bien, ma tante, pour vous prouver à quel point cela ne m'ennuie pas, je viendrai à Saint-Cloud dès le lendemain de votre installation.

– Vous y serez le bienvenu, mon cher neveu.

Marie-Louise, comme toujours chez le Roi, se tenait assise non loin de sa belle-mère. Elle jouait aux cartes pour faire comme tout le monde, et surtout pour se libérer de l'obligation d'avoir à faire la conversation. Je vis qu'elle regardait ses cartes mais qu'elle les voyait à peine. Je suppose qu'elle aurait tout juste su dire si elle avait du trèfle ou du cœur dans les mains. En revanche, elle ne perdait pas une miette des propos qu'échangeaient Louis et *Madame*. Je la vis rosir. Elle leva les yeux et sourit à Louis. Il guettait ce sourire. Il la salua en retour.

— Nous nous verrons donc à Saint-Cloud, ma cousine, dit-il.

— Oui, mon cousin, répondit-elle.

Propos ordinaires, mots de tous les jours, mais qui, pour eux seuls, avaient la dimension de toutes les poésies de Pierre de Ronsard.

Le château de *Monsieur* et de *Madame* à Saint-Cloud était un lieu de liberté. L'étiquette n'y existait pas.

La soirée était paisible. Les flambeaux et les girandoles, disposés autour des tables de jeu, éclairaient les dorures des murs et les personnages volants des plafonds. Derrière les fenêtres, le ciel était clair et quelques étoiles commençaient à s'allumer.

Demain serait sans doute beau.

Retrouve bientôt
ton héroïne préférée dans

Les folles Aventures D'EULALIE DE POTIMARON

L'auteur

Anne-Sophie Silvestre aime les personnages de roman qui savent changer d'identité, le château de Versailles, les lapins, les guitares, les greniers avec de grosses poutres, les fenêtres en forme d'œil-de-bœuf et les sociétés secrètes.

Tout cela réuni a donné *Les Folles aventures de Gabrielle-Évangéline-Eulalie de Potimaron à la cour du Roi-Soleil*.

L'ILLUSTRATRICE

Native de banlieue parisienne, Amélie a migré en Alsace pour rejoindre l'école des Arts décoratifs de Strasbourg.

Elle y vit toujours au milieu des cigognes et travaille en temps qu'illustratrice pour la presse et l'édition jeunesse.

Table

DES MATIÈRES

Table
DES MATIÈRES

Dépôt légal : novembre 2010

Achevé d'imprimer en Italie
par Grafica Veneta S.p.A.